L'ACADÉMIE DES CHEVALIERS

LE POUVOIR INTERDIT

MAX BRALLIER

ILLUSTRATIONS D'ALESSANDRO VALDRIGHI
ET PAUL LEE

TEXTE FRANÇAIS DE LOUISE BINETTE

SCHOLASTIC

À mes parents. J'avais sept ans quand vous m'avez aménagé dans le sous-sol humide une pièce absolument fabuleuse et désordonnée pour jouer avec mes briques LEGO. J'y ai passé des heures. Merci d'avoir encouragé ma créativité et d'avoir accordé de l'importance au jeu.

Merci à tout le monde du groupe LEGO, tout particulièrement à Paul Hansford, Mikkel Lee, Helle Reimers Holm-Jørgensen et Peter Moorby; merci de m'avoir permis de jouer et de créer dans un environnement si merveilleux. C'est un rêve d'enfant devenu réalité. Merci à Debra Dorfman, Samantha Schutz, Michael Petranek, Rick DeMonico, Elizabeth Schaefer et tout le monde chez Scholastic; merci de m'avoir invité, de m'avoir si bien accueilli et d'avoir été des collaborateurs si agréables. Comme toujours, merci à Dan Lazar d'avoir tout organisé, et à Torie Doherty-Munro d'être aussi extraordinaire. Mais surtout, merci à mon épouse, Alyse, d'être toujours la meilleure.

—Max Brallier

Catalogage avant publication de Bibliothèque et Archives Canada

Brallier, Max
[Forbidden power. Français]
Le pouvoir interdit / Max Brallier ; Alessandro Valdrighi,
Paul Lee, illustrateurs ; texte français de Louise Binette.

(Lego Nexo Knights, l'académie des chevaliers)
Traduction de : The forbidden power.
ISBN 978-1-4431-6050-6 (couverture souple)

I. Valdrighi, Alessandro, illustrateur II. Lee, Paul (Illustrateur),
illustrateur III. Titre. IV. Titre: Forbidden power. Français.

PZ23.B725Po 2017   j813'.6   C2016-907907-4

Édition publiée par les Éditions Scholastic, 604, rue King Ouest, Toronto (Ontario) M5V 1E1 CANADA.

5 4 3 2 1   Imprimé aux États-Unis 23   17 18 19 20 21

Conception graphique de Rick DeMonico

CHAPITRE UN

Fletcher Bowman est nerveux.

À vrai dire, ce n'est pas le terme exact. L'herbe à puce le rend nerveux. Le dentiste le rend nerveux.

En ce moment, Fletcher est plus que nerveux. Il est anxieux, agité, inquiet et carrément *terrifié*.

Il est assis sur l'un des sièges froids et craquelés de l'holorail. Le train bleu et or file comme une flèche vers la grande cité de Knightonia, roulant à toute vitesse sur les longs rails d'un beau bleu étincelant. Fletcher est à bord du train depuis trois jours. Il a mal au derrière et il a un torticolis. Comme il n'avait pas les moyens de se payer le luxe d'une voiture-lit, il est assis sur ce siège plutôt inconfortable depuis soixante-douze heures.

Il approche enfin de sa destination, bien que ça ne lui soit pas d'un grand réconfort…

Une voix crépite dans le haut-parleur :

— Prochain arrêt : l'Académie des chevaliers.

Fletcher appuie son visage contre la vitre. Tout devient flou lorsque le train pénètre en trombe dans Knightonia et passe en vrombissant devant les ponts à poutres rutilants et le Nexodôme dernier cri. D'immenses édifices sophistiqués parsèment l'horizon. La ville semble s'étirer à perte de vue.

Fletcher serre fort son sac de voyage tandis que l'holorail siffle et commence à ralentir dans un soubresaut. Le chef de train descend l'allée d'un pas énergique.

— L'Académie des chevaliers! Nous arrivons!

Fletcher se lève. Il repousse les cheveux bruns en bataille qui lui tombent devant les yeux et remarque que personne d'autre ne s'est levé. Apparemment, très peu d'élèves utilisent le transport en commun pour venir à l'Académie.

Le train s'immobilise en douceur, et les portes s'ouvrent. Au moment où Fletcher est sur le point de sortir, quelqu'un l'interpelle :

— Hé, jeune homme!

Fletcher se tourne et voit le chef de train qui tient son sac de voyage.

— C'est à toi?

Fletcher est tellement anxieux, agité, inquiet et carrément *terrifié* qu'il a failli oublier son sac (qui contient absolument tous ses biens) dans l'holorail.

— Oh, oui! Merci! dit Fletcher. Désolé, c'est la première fois que je viens dans la cité, et je suis un peu…

Fletcher s'interrompt en voyant le chef de train lancer le lourd sac de voyage. Il écarquille les yeux…

OUMF!

Fletcher reçoit le sac en pleine poitrine. Il parvient à l'attraper, enfin… si on peut dire. C'est comme tenter de happer au vol un gros porc qui couine. Le sac de Fletcher s'abat littéralement sur lui, le projetant du même coup hors de la voiture de l'holorail. Fletcher tombe par terre et fait deux culbutes arrière avant de s'immobiliser sur le gazon, étendu sur le dos.

— Merci, réussit-il à prononcer en grimaçant de douleur.

L'holorail grince, puis s'élance en douceur sur la voie. Fletcher le regarde s'éloigner, le ventre noué comme s'il n'avait pas mangé depuis longtemps. C'est le stress. Il voudrait remonter dans le train. Il voudrait se glisser sur son siège, fermer les yeux et refaire le trajet en sens inverse jusque chez lui.

Il s'ennuie de chez lui, même s'il a débarqué à Knightonia il y a à peine 3,8 secondes.

Il s'ennuie de chez lui, même s'il n'était pas particulièrement heureux là-bas.

— Ça commence bien… marmonne Fletcher en se relevant et en ramassant son sac.

La première chose qui le frappe, c'est que la ville empeste. Elle empeste les foules, les rues noires de monde, la graisse, les centres commerciaux bondés et l'agitation.

Fletcher ne s'est jamais éloigné de chez lui de plus de quelques kilomètres, « chez lui » étant l'orphelinat non loin du village de pêcheurs de Salty Town. Et voilà qu'il se retrouve à des milliers de kilomètres de là, dans la plus grande cité du royaume.

Le murmure grandissant des conversations incite Fletcher à se retourner. C'est alors qu'il aperçoit pour la première fois l'Académie des chevaliers.

La seule et unique Académie des chevaliers.

Elle est immense et d'une hauteur imposante. Un trottoir de briques mène à un grand portail dont le centre est orné d'un étincelant bouclier bleu. D'énormes flambeaux de pixels répandent leur lumière brillante et dansante.

Fletcher n'en revient pas de voir autant d'élèves : ils sont des centaines dispersés sur la pelouse vert tendre entourant les murs de l'Académie. Certains étreignent et embrassent leurs parents. D'autres saluent leurs amis.

Ce n'est pas le cas de Fletcher Bowman.

Il est seul, à l'écart, et observe la scène. Il n'y a personne pour le serrer dans ses bras ou lui donner une tape dans le dos pour lui souhaiter bonne chance.

La vie à l'orphelinat est la seule qu'il connaît, car Fletcher y a passé toute sa vie en compagnie de vingt-sept autres orphelins. L'orphelinat est situé au bord de la mer, dans les

Rocklands, là où la terre est aride, mais où l'odeur de la mer emplit toujours l'air. Fletcher y a travaillé tous les jours. Chaque fin de semaine, il marchait pendant 45 minutes pour aller à Salty Town et travaillait de plus belle, donnant un coup de main au marché des saliculteurs. Le village n'avait rien d'extraordinaire, mais Fletcher s'y plaisait. Le marché était animé… du moins, c'est ce que Fletcher croyait avant de découvrir cet endroit.

Fletcher a pu en apprendre un peu sur les chevaliers NEXO grâce à la vieille holovision de l'orphelinat. Il a déjà entendu parler de Knightonia, mais la grande cité lui a toujours paru si loin. Et voilà qu'elle est là, juste devant lui…

— Eh bien, allons-y, se dit-il en soupirant.

Mais au moment où Fletcher fait son premier pas vers l'Académie…

BROOOUUU BROOOUUU BROOOUUUUUUU!

Fletcher n'a jamais rien entendu de tel. Le bruit est si fort qu'il sursaute.

Sursauter n'est peut-être pas le mot approprié. En fait, Fletcher a si peur qu'il laisse tomber son sac, bondit, tourne maladroitement sur lui-même et donne un coup de pied en l'air.

Quelques élèves non loin de là ont assisté à la scène et rigolent. Fletcher sent son visage devenir tout rouge. Un garçon à la peau bronzée et aux cheveux noirs lissés rit particulièrement fort.

— Tu n'as jamais entendu le klaxon d'un carrosse ou quoi? demande le garçon.

Fletcher s'est promis de faire de son mieux pour ne pas avoir l'air timide ou embarrassé; il traîne donc son sac à contrecœur en direction de deux garçons. Leurs vêtements sont impeccables. Fletcher se sent soudain gêné. Son pantalon est déchiré, et son manteau est taché. Il a tenté de nettoyer sa chemise avant de quitter l'orphelinat (il a passé deux jours à la frotter), mais elle paraît encore plus usée.

— Bien sûr que j'ai déjà entendu le klaxon d'un carrosse, répond Fletcher en prenant un ton enjoué. Mais là, on aurait plutôt dit une mégatrompette.

Les garçons ricanent.

— C'est parce qu'il s'agit du carrosse Richmond, explique le garçon aux cheveux noirs lissés. Il est tout en or et tiré par des aéro-chevaux.

Fletcher baisse les yeux et remarque que les garçons ont des valises à roulettes bien propres et sophistiquées. Il pose les yeux sur son sac rapiécé, effiloché et couvert de ruban adhésif. Malgré tout, il tend promptement la main au garçon.

— Je m'appelle Fletcher Bowman.

Le garçon aux cheveux noirs regarde la main tendue de Fletcher avec un dégoût à peine dissimulé, mais il finit par la serrer.

— Ethan Zilgo. Et voici Beak, ajoute-t-il en désignant du pouce un grand rouquin maigre et nerveux.

Au même instant, un concert de oh! et de ah! se répand dans la foule. La porte du carrosse s'ouvre.

— C'est sûrement Lance… dit Beak.

Fletcher a l'habitude de parler sans réfléchir quand il est nerveux, et cette fois ne fait pas exception.

— Qui est Lance?

Zilgo et Beak le foudroient du regard. Ils le dévisagent comme s'il était l'incarnation humaine d'une éruption cutanée.

— Lance *Richmond*, répond Zilgo.

— Le plus *célèbre* chevalier du pays… dit Beak.

— De la plus célèbre *famille* du pays, ajoute Zilgo.

Fletcher tombe des nues. Il ignore totalement qui est Lance Richmond. Mais comme il est hors de question qu'il l'avoue, il ment…

— Mais oui! Bien sûr! dit-il aussitôt. *Lance* Richmond! J'ai cru que tu avais dit, euh…

Les garçons continuent à l'observer. Fletcher voudrait bien qu'ils cessent de le fixer de la sorte, pour qu'il puisse arrêter de parler. Mais tant qu'ils restent là, bouche bée, à le regarder, Fletcher poursuit son babillage.

— J'ai cru que tu avais dit, euh, autre chose.

— Autre chose? demande Zilgo.

Fletcher sent de grosses gouttes de sueur perler sur son front.

— Oui. Euh… Laine. *Laine* Richmond.

— Laine Richmond? demande Beak.

Fletcher sait bien que ce n'est pas le meilleur mensonge qu'il ait jamais inventé.

Zilgo et Beak le fixent comme s'il avait le cerveau détraqué. Plus ils le dévisagent, plus Fletcher se sent mal. À son arrivée, il était anxieux, agité, inquiet et carrément *terrifié*. Et tout ce qu'il redoutait est arrivé en moins de quoi... sept secondes? Fletcher sent son visage s'enflammer. Il essaie d'ordonner à son visage de cesser de rougir, mais ça ne fait qu'aggraver les choses.

Puis avant même d'avoir compris ce qui se passe, Fletcher s'enfuit. À toutes jambes.

— Où cours-tu comme ça? crie Zilgo.

Fletcher vocifère contre lui-même intérieurement. *Pourquoi cours-tu? Où vas-tu?*

Il n'a fait qu'une petite gaffe, et il court déjà se mettre à l'abri. Littéralement!

Fletcher se réfugie derrière un gros chêne. Il entend Beak s'écrier :

— Ce pauvre type est allé se cacher derrière un arbre! Tu as dû lui faire peur, Zilgo!

Ça commence bien, pense Fletcher en reprenant son souffle. Il se frappe la tête contre l'arbre. *Idiot, idiot, idiot!* se dit-il.

Il est venu ici pour devenir chevalier. Chevalier! Et il est déjà si embarrassé qu'il doit se tapir derrière un arbre? Pas vraiment chevaleresque!

La vérité, c'est que Fletcher n'est pas certain de vouloir devenir chevalier. Une semaine plus tôt, le directeur de l'orphelinat lui a simplement dit :

— Fletcher, tu as maintenant l'âge de fréquenter l'Académie des chevaliers. C'est donc là que tu iras.

Voilà. Juste comme ça. Fletcher n'a jamais entendu parler d'autres orphelins envoyés à l'Académie. Mais il n'avait pas son mot à dire, et ce n'est pas de gaieté de cœur qu'il est parti...

De l'endroit où il se trouve, Fletcher aperçoit les rails de l'holorail. Tout ce qui lui suffit de faire, c'est de marcher jusque-là et de monter à bord, et l'holorail le ramènera à l'orphelinat. Cela lui permettrait d'échapper instantanément à cette situation embarrassante et à toute cette nouveauté qui le submerge. Il pourrait dire au directeur, euh... que l'Académie a déjà assez de chevaliers ou quelque chose du genre. Qu'elle n'a pas assez d'épées! Ou qu'elle affiche complet et n'a plus aucune chambre de libre!

Une voix retentit et vient interrompre les pensées de Fletcher.

— Chers admirateurs! Mon public! C'est si merveilleux de vous voir tous!

Fletcher jette un coup d'œil rapide de sa cachette derrière l'arbre. Il reconnaît le chevalier debout devant le carrosse. Il l'a déjà vu à l'holovision. C'est Lance Richmond. La voix tonitruante du chevalier résonne comme celle d'un acteur sur une scène.

Lance Richmond, dont les cheveux blonds sont impeccablement coiffés, se délecte de l'attention de la foule en adoration devant lui. Il sourit, dévoilant des dents d'un blanc éclatant, et distribue des photos autographiées de lui-même.

— Je suis *ravi* de vous voir. J'aimerais pouvoir passer des *heures* à vous honorer de ma présence. Mais aujourd'hui, je suis ici uniquement pour déposer Isabella. Prenez une photo, je vous en prie! Elles sont autographiées.

Qui est Isabella? se demande Fletcher.

Parents et élèves se bousculent pour mieux voir.

— Où est ta sœur? crie un élève.

— Elle attend probablement que les robots-paparazzis arrivent pour prendre des photos! répond un parent.

C'est Fletcher qui aperçoit Isabella Richmond le premier. Il entrevoit une fille aux cheveux blonds, et note aussitôt la ressemblance avec Lance. C'est bien Isabella, mais elle ne semble pas du tout vouloir attendre les robots-paparazzis.

À quatre pattes, elle tente tant bien que mal de se frayer un passage parmi la foule. Quand elle se relève, elle a les mains couvertes de boue. Elle les regarde, hausse les épaules et les essuie sur son pantalon blanc déjà sale.

Fletcher affiche un grand sourire. Elle est peut-être arrivée dans un carrosse doré, mais cette fille ne semble pas faire trop de chichis.

Soudain, un groupe de robots l'aperçoit en train de filer.

— Ça y est! Les robots-paparazzis l'ont repérée! s'écrie quelqu'un.

Fletcher voit la fille blonde pousser un grognement et prendre ses jambes à son cou. Elle traîne une grosse valise élégante derrière elle tandis qu'elle traverse la pelouse à toute allure. Oh non! Elle se dirige vers la cachette de Fletcher!

Fletcher se réfugie aussitôt derrière l'arbre.

Ne viens pas ici, ne viens pas ici, ne viens pas ici, ne viens pas ici. Mais elle vient...

Isabella surgit à côté de l'arbre, tente d'arrêter sa course, glisse et s'étale de tout son long. Sans même réaliser ce qu'il fait, Fletcher lui tend la main et l'aide à se relever.

— Merci, mon vieux! dit Isabella en lui souriant chaleureusement.

Elle porte des lunettes de protection rouges dont la monture haute technologie est maculée d'éclaboussures de boue.

— Alors, qu'est-ce que tu fabriques? Tu te caches simplement derrière un arbre? Ça, c'est normal.

— Euh... commence Fletcher.

— Ça t'ennuie si je me cache aussi? l'interrompt Isabella.

— Euh...

— Fantastique. Merci. Il n'y a rien de pire que les robots-paparazzis.

Fletcher est sur le point de lui demander ce qu'est un robot-paparazzi lorsque Zilgo et Beak apparaissent. Ils restent là, bouche bée, les yeux écarquillés. Ils dévisagent Isabella, à la fois stupéfaits et éblouis.

Fletcher, qui déteste les silences embarrassants, déclare :

— Je m'appelle Fletcher. Fletcher Bowman. Alors, Isabella, tu es une célébrité ou quoi?

— Bien sûr que c'est une célébrité! s'exclame Zilgo. C'est une Richmond! Qu'est-ce que tu es venu faire à l'Académie si tu ne connais rien aux chevaliers?

Fletcher hausse les épaules.

— Eh bien, je n'ai pas vraiment eu le choix. Je suis orphelin. On m'a envoyé ici.

Isabella observe Zilgo pendant un moment.

— Cheveux lissés, bronzage parfait. Tu dois être un Zilgo.

Le garçon dresse le menton, bombe le torse et hoche fièrement la tête.

— C'est exact. Ethan Zilgo.

Isabella le fixe pendant quelques secondes de plus avant de se tourner vers Fletcher.

— Orphelin, tu dis? Mon vieux, il y a des jours où j'aimerais bien être orpheline aussi. C'est lourd de s'appeler Richmond. Mon frère tenait absolument à venir me déposer pour la première journée de cours. Quel casse-pieds!

Estomaqués, Zilgo et Beak les observent tous les deux. L'incompréhension se lit sur leur visage. Pourquoi bavarde-t-elle avec Fletcher?

CLANG!

Le grand portail s'ouvre juste à temps. Une bande de robots-paparazzis courent vers eux, agitant des appareils-photo et des microphones. Isabella tire Fletcher par la manche.

— Viens! dit-elle en piquant un sprint.

Fletcher saisit son sac et fait de son mieux pour le porter d'une seule main. Il ne veut pas paraître faible. Il est rare de voir des chevaliers manquer de force.

— Isabella! Attends! s'écrie-t-il.

Elle s'arrête subitement et virevolte. Ses yeux bleus plongent dans ceux de Fletcher.

— Une chose, dit-elle. Ne m'appelle *pas* Isabella, d'accord? Je *déteste* ce prénom. Il est trop sophistiqué et solennel. Et maintenant que je suis à l'école, loin de mes parents, je peux *enfin* le laisser tomber. Je préfère Izzy, compris?

— Compris, répond Fletcher en hochant la tête. Izzy.

Elle sourit.

— Chouette! Et toi, c'est Fletcher, hein?

Fletcher fait oui de la tête encore une fois. Il se rend compte qu'il hoche constamment la tête quand Izzy s'adresse à lui.

— Il te plaît, ce nom? demande-t-elle.

— Eh bien, je ne me suis jamais vraiment posé la question. Ce n'est qu'un nom.

— C'est très important, un nom, renchérit Izzy. Et c'est ce qui est si excitant quand on arrive à l'Académie des chevaliers. On prend un nouveau départ! C'est le moment pour toi de bâtir ton avenir et de devenir celui que tu as envie d'être.

Fletcher n'a jamais vu les choses sous cet angle. Izzy interrompt vite sa réflexion.

— Je trouve ce prénom franchement trop long, reprend-elle. *Fletcher. Fletcherrrrr.* Imagine qu'on engage une bataille avec les serviteurs de Monstrox et que je doive t'appeler en renfort? Je perdrai de précieuses secondes à crier *Fletcherrrrr.* Que dirais-tu de Fletch, tout simplement?

— Fletch? répète-t-il.

Izzy fait oui de la tête.

— Je trouve que ça te va très bien. Va pour Fletch?

Fletch réfléchit à toute vitesse. Un surnom? Personne ne lui en a jamais donné.

— Oui, dit-il enfin. Va pour *Fletch.*

Là-dessus, ils franchissent le portail et se retrouvent dans la cour gazonnée. Fletch voit s'ouvrir les grandes portes en pierre de l'Académie. Il se sent maintenant non pas anxieux, agité, inquiet et carrément *terrifié,* mais plutôt excité.

CHAPITRE DEUX

Un petit robot gris tient les grandes portes ouvertes.

— Par ici, les élèves. Vite. On ne traîne pas.

Fletch reste bouche bée devant le robot gris et argent. Il n'y avait presque pas de robots à Salty Town.

— Qu'est-ce que c'est? demande Fletch tout bas en hâtant le pas pour rejoindre Izzy. Est-ce qu'ils sont comme les petites créatures qui te poursuivaient ?

— Oui, répond Izzy. Ce sont des robots-écuyers. Il y en a partout à l'Académie. Impossible de faire un pas sans tomber sur eux. Ils s'occupent d'à peu près tout ici : ils sont soldats, journalistes, trompettistes, mécaniciens, et j'en passe.

Les élèves suivent les instructions du robot et montent les marches en pierre. Le cœur de Fletch bat vite tandis qu'il se faufile à l'intérieur tout en suivant Izzy de près.

Fletch a le souffle coupé lorsqu'il tend le cou pour embrasser du regard l'immense hall.

Ce n'est que l'entrée, mais Fletch est déjà émerveillé.

Deux énormes escaliers en colimaçon descendent du deuxième étage. D'éclatants boucliers bleus ornent les murs. De gigantesques lustres, de même que des banderoles holographiques, des écrans de visualisation haute technologie, et des lanternes bourdonnantes baignent le hall d'une douce lumière bleue. Les murs sont en pierre blanche étincelante, et le hall est d'une propreté impeccable jusque dans ses moindres recoins. Fletch se dit, à la blague, que c'est comme si le hall venait de se brosser les dents et de prendre une douche avant leur arrivée.

Quand il songe au petit orphelinat mal éclairé où il a habité durant toute sa vie, Fletch n'en revient pas. Les choses ont bien changé…

Au milieu du hall, l'immense statue d'un chevalier en armure surplombe la pièce. Fletch ferme les yeux un instant, puis les ouvre à nouveau, juste pour être certain que tout ça est bien réel.

Et ça l'est, assurément. Une plaque identifie la statue comme étant celle de Ned Knightley.

— Bienvenue, élèves de première année! tonne une voix.

Fletch en a le souffle coupé. Même *lui* reconnaît l'homme qui descend l'escalier. C'est le roi Halbert, le souverain de Knighton. Ce dernier arbore un grand sourire à peine dissimulé par sa barbe brune broussailleuse.

— Ça alors! s'exclame Fletch. C'est le roi! Le roi Halbert!

— Mais oui, dit Izzy. Tu ne l'as jamais rencontré?

— Euh, *non*. C'est le roi!

— Oh! Il est gentil. Il est venu quand j'ai fêté mon huitième anniversaire.

— La cohorte de cette année est la plus nombreuse depuis très, très longtemps, dit le roi Halbert. Comme vous le savez, les monstres menacent notre royaume autrefois paisible, et nous avons grand besoin de chevaliers. Voilà pourquoi je tenais, moi, votre roi, à vous accueillir. Mais je dois avouer que j'adore les cérémonies d'accueil!

Quelques élèves laissent échapper un petit rire.

— Un jour, j'espère rencontrer chacun d'entre vous, poursuit le roi Halbert. Mais pour l'instant, je cède ma place au directeur Brickland.

Une porte s'ouvre dans un sifflement, et un homme à l'air bourru entre en coup de vent. L'ambiance chaleureuse et accueillante qui régnait dans la pièce change aussitôt. Les bottes de combat de l'homme frappent le carrelage avec un bruit mat tandis qu'il avance vers les élèves d'un pas décidé. Fletch remarque que le directeur a des cicatrices au visage. Il en a sans doute d'autres sous son épaisse barbe aux poils gris et blancs. *Je parie que ce type en a vu de toutes les couleurs*, se dit Fletch.

— Laissez vos sacs là où ils sont, ordonne le directeur Brickland sans préambule. Les robots-écuyers les apporteront à votre chambre. Mais n'allez pas croire qu'on vous gâtera comme ça longtemps.

Un bruit sourd résonne dans le hall lorsqu'une centaine de sacs sont posés par terre en même temps.

— Je suppose que vous êtes tous impatients de prendre part au grand banquet de bienvenue, n'est-ce pas? demande Brickland avec un sourire inattendu.

À l'instant même où les élèves commencent à répondre, le sourire de Brickland s'efface brusquement.

— Eh bien, IL N'Y A PAS DE BANQUET DE BIENVENUE! rugit-il. Vous êtes des chevaliers en formation! Vous mangerez quand il y aura du temps pour manger! À partir de maintenant, vous consacrerez votre vie à l'étude, au combat, et à l'étude du combat. Vous travaillerez *fort*. Vous apprendrez *vite*.

— Génial! chuchote Izzy avec entrain.

De son côté, Fletch regrette que toute cette histoire de banquet ne soit qu'une blague. Quelle déception!

— Votre première journée à l'Académie débute par une mission *sur le terrain*, continue Brickland en tapotant un grand écran holographique derrière lui.

L'écran s'illumine et, un instant plus tard, apparaît une image 3D d'une longue épée argentée.

— Voici la précieuse épée d'argent de Ned Knightley. Votre mission : *la récupérer!* Elle se trouve quelque part, ici, à l'Académie. Mais est-elle à l'intérieur de l'école? À l'extérieur? Sur le toit de l'école? À *vous* de le découvrir!

Fletch entend des grognements sarcastiques. Il se retourne au moment où Zilgo marmonne :

— Oh, une chasse au trésor? Tellement héroïque…

Le regard de Brickland se pose sur Zilgo. Il l'observe pendant un instant avant de continuer :

— Mais je vous préviens, ne quittez pas le terrain de l'Académie. Jamais le monde à l'extérieur de ces murs n'a été aussi dangereux. Monstrox et sa magie noire rôdent aux

alentours. En tant que chevaliers en formation, vous êtes *tous* sous ma responsabilité. Quiconque outrepassera les limites de l'Académie sera *renvoyé* sur-le-champ sans aucune explication.

Tout à l'heure, quand il tremblait de peur derrière l'arbre, Fletch aurait été presque content d'être renvoyé. Il aurait pu reprendre sa vie simple et plutôt moche à l'orphelinat. Bien sûr, la vie là-bas était ennuyeuse comme la pluie, mais au moins il y était en sécurité! Et il ne tremblait pas tout le temps d'anxiété!

Mais maintenant? Maintenant, il est horrifié à l'idée d'être renvoyé. Fletch est excité. Nerveux, bien sûr, mais excité. Il frétille d'impatience.

Brickland descend l'allée tout en regardant les élèves.

— Et il ne s'agit *pas* d'une chasse au trésor.

Zilgo sent sa gorge se serrer. De toute évidence, rien n'échappe au directeur Brickland.

Ce dernier poursuit :

— Les robots-écuyers et les professeurs détiennent des indices à propos de l'endroit où se trouve la précieuse épée d'argent de Ned Knightley. Ils vous aideront… *si* le cœur leur en dit. Maintenant, trouvez-vous un partenaire. Formez des équipes de deux : pas un de plus, pas un de moins. Un chevalier doit toujours pouvoir compter sur le soutien de ses pairs.

Immédiatement, Fletch est en proie à une vive anxiété. Qu'y a-t-il de pire que de devoir former une équipe de deux?

Fletch avale sa salive et se tourne vers Izzy. Plein d'espoir, il hausse les épaules pour lui faire savoir que, peut-être, euh…

si elle est d'accord, ils pourraient, enfin… *possiblement*, être partenaires. Bref, peut-être bien?

Izzy jette un coup d'œil vers Fletch. Elle croise son regard, fronce les sourcils puis détourne rapidement les yeux vers la foule d'élèves.

— Qui pourrait bien être mon partenaire? dit-elle à voix basse. Quelqu'un d'intelligent, de malin, quelqu'un qui a eu une coupe de cheveux au cours des neuf dernières années…

Fletch déglutit péniblement et sent que son menton commence à trembler. Il espérait qu'Izzy devienne son amie, mais il s'est trompé. Autour de lui, il entend les autres élèves trouver un partenaire, rire et se faire de nouveaux amis. Ils seront probablement amis pour la vie, complices, âmes sœurs, et tout le tralala.

Fletch fixe ses pieds. Il souhaiterait presque qu'ils se mettent à marcher pour l'emporter loin de cette situation extrêmement embarrassante qu'est la recherche d'un partenaire.

Trouver un partenaire. TROUVER UN PARTENAIRE? Pourquoi faut-il demander à quelqu'un d'être son partenaire? C'est de la torture! Ça ne sert qu'à faire souffrir les plus faibles, rien de plus. Fletch en conclut que Brickland cherche à éliminer les plus faibles. D'une seconde à l'autre, le directeur remarquera que Fletch n'a pas de partenaire. Il l'humiliera devant tous les autres et déclarera que savoir trouver un partenaire est une habileté importante chez un chevalier, ou d'autres bêtises de ce genre. Fletch sera dans le train qui le ramènera à l'orphelinat dans approximativement six minutes. Il en est *certain*.

Mais lorsqu'il relève la tête, Izzy le regarde droit dans les yeux et affiche un gigasourire.

— Fletch, *franchement!* Je me paie ta tête! Tu es beaucoup trop facile à duper, mon vieux.

Fletch hausse les sourcils.

— Tu veux dire...

— Voyons, évidemment qu'on est partenaires. Maintenant, viens. On a une épée à trouver et une mission à accomplir! Et je n'ai *pas* l'intention de perdre, surtout pas contre Zilgo.

Fletch fait de son mieux pour dissimuler son excitation. Quelques secondes plus tard, il court en compagnie d'Izzy dans les couloirs chauds et lumineux de l'Académie des chevaliers. Les fenêtres vibrent sous l'effet de l'énergie bleue, et un long tapis rouge rappelle à Fletch à quel point tout ça respire la *royauté*.

Mais Fletch n'a pas le temps de contempler ce splendide décor. Ils sont à la recherche de leur premier indice...

— Comment savoir par où commencer? se demande-t-il à voix haute. L'Académie est *immense*.

— Nous avons l'avantage, répond Izzy avec un sourire espiègle. Je venais visiter Lance quand il étudiait ici. Je parie que j'ai passé plus de temps dans cette école que tout autre élève de première année. Je connais cet endroit comme le fond de ma poche. Et le fond de ma poche et moi, on est *très copains*.

Sur ces mots, Izzy disparaît dans un couloir étroit avant de se ruer dans un escalier tournant.

— Suis-moi!

Fletch essaie de ne pas traîner derrière tandis qu'Izzy file à toute allure, mais il a du mal à la suivre, car il passe son temps à se retourner. Il n'en revient pas de voir l'Académie si grande et si animée. C'est un labyrinthe de couloirs sans fin. Dans chaque coin semble se cacher une pièce d'armure ancienne, une arme légendaire, un écran qui clignote ou un robot au garde-à-vous. L'Académie est un peu comme la boîte d'un casse-tête géant, remplie de secrets, de merveilles et de mystères qu'un élève peut passer des années à explorer.

Malgré la supervision stricte du directeur Brickland, l'Académie n'est ni calme ni silencieuse. En fait, c'est tout le contraire. La session des élèves plus anciens a déjà commencé, et de chaque classe leur parviennent des bruits de discussions et d'activités d'apprentissage. Le cœur agité de Fletch se remplit de joie, car jamais il n'a eu le sentiment que le monde avait *tant à offrir*. Il découvre une infinité de possibilités.

Il voit des élèves de toutes les races et de tous les milieux, en provenance de tous les coins de Knighton, d'Auremville jusqu'à Hill Country. Il croise des professeurs aux accents étranges dont les vêtements ne lui sont pas familiers. Il hume les odeurs de l'énergie ambiante, des armes graissées, des armures fraîchement huilées et…

Un instant, se dit Fletch. *Est-ce l'odeur d'un civet de lièvre?*

Soudain, Izzy s'arrête de façon peu élégante, glissant, trébuchant et évitant de justesse un casier. Ils se trouvent devant la cuisine de l'Académie, et Fletch n'a pas imaginé le fumet d'un civet de lièvre.

Izzy porte la main à sa bouche.

— Chut! J'entends Zilgo.

Ils s'approchent sans bruit pour jeter un coup d'œil. Fletch aperçoit Zilgo et Beak en train de discuter avec quelqu'un. Zilgo semble coincer l'homme contre un mur.

— C'est le chef Munch, chuchote Izzy en replaçant ses lunettes. Il fait le *meilleur* pâté à la viande de tout Knightonia. Et ses laits frappés sont à se rouler par terre.

Fletch repousse ses cheveux derrière ses oreilles, car il a du mal à entendre la conversation.

— Zilgo, je te l'ai dit, déclare Beak. Ce type n'est qu'un cuisinier! Il ne sait rien. Ce n'est ni un professeur, ni un chevalier, ni même un écuyer.

— Ce genre de travailleurs en sait généralement plus qu'on pourrait le croire, rétorque Zilgo.

Le chef Munch secoue la tête. Son civet de lièvre, qui fait gargouiller l'estomac de Fletch, est sur le point de déborder dans la casserole, et le chef semble impatient de retourner à son poste.

— Je ne sais rien à propos de cette mission, dit le chef. Maintenant, ouste, avant que je raconte au directeur Brickland à quel point les élèves de première année sont casse-pieds.

— Vous iriez vous plaindre à Brickland? demande Zilgo en ouvrant la main pour dévoiler l'éclat de l'or et de l'argent. Même si on vous offrait de l'*argent*?

— Il est en train d'essayer de l'acheter! s'indigne Fletch à voix basse.

— Eh bien, espèce de petit… dit Izzy.

Elle remonte ses manches, serre les poings et s'apprête à bondir lorsque Fletch l'attrape par le collet.

— Attends, dit-il. Peut-être qu'on obtiendra un indice!

Le chef Munch lorgne l'argent d'un air hésitant. Au bout d'un moment, il déclare :

— J'ai vu Brickland sur le terrain d'entraînement, tard hier soir. C'est tout ce que je sais.

Zilgo toise le chef de la tête aux pieds, comme s'il ne le croyait pas vraiment. Puis d'un geste vif, il s'empare d'un petit pain dans une corbeille.

— Le terrain d'entraînement, vous dites? répète Zilgo en mordant dans son petit pain. Vous êtes bien serviable, chef, même si j'espérais en apprendre davantage. Tenez, voici *une* pièce de cuivre.

Fletch a juste le temps de s'esquiver avant que Zilgo et Beak ne se dirigent vers la porte. Plaqués contre le mur, Fletch et Izzy les regardent passer devant eux à toute vitesse. Zilgo et Beak s'éloignent rapidement dans le couloir, ricanant et reconnaissant l'utilité d'avoir un peu d'argent sous la main.

En observant Zilgo, Fletch se dit que c'est la première fois qu'il déteste quelqu'un autant en si peu de temps.

Izzy tend brusquement un bras devant elle.

— Fletch, au terrain d'entraînement! Puisque Zilgo veut faire des coups bas, on va en faire nous aussi.

— Attends… Est-ce qu'on peut prendre des petits pains? Ils ont l'air si frais! Si croustillants! Si moelleux!

Izzy grogne.

— Au terrain d'entraînement, Fletch, au terrain d'entraînement! J'ai *horreur* de perdre…

* * *

On l'appelle le terrain d'entraînement, mais il a plutôt l'air d'un pré avec sa pelouse interminable parsemée d'immenses arbres. Le gazon est si vert qu'il paraît presque fluorescent. Le bruit des épées qui s'entrechoquent résonne autour d'eux. Les élèves s'entraînent pendant que les professeurs aboient des instructions. Épées, haches, massues, lances et tout l'attirail imaginable sont accrochés à des râteliers.

Izzy traverse le terrain bien entretenu d'un pas rapide et déterminé, bifurquant parfois subitement pour contourner les zones de combat. Fletch la suit, tournant constamment la tête pour ne rien manquer. Quand il s'arrête pour regarder deux élèves combattre, Fletch voit l'une d'elles lancer son bouclier dans les airs. Soudain, un rayon doré monte en flèche, des pixels apparaissent, puis le rayon regagne le bouclier.

— Ouah! s'exclame Fletch en se hâtant pour rejoindre Izzy. Tu as vu ça? Cette lumière a été comme… téléportée du ciel jusqu'à dans le bouclier de cette fille. Son armure et son épée se sont ensuite illuminées!

Izzy rit.

— C'est un pouvoir NEXO. D'où le nom des chevaliers NEXO. Ils sont issus de la fusion du numérique et de la magie!

C'est la raison pour laquelle nous sommes *ici*, Fletch : pour apprendre à devenir chevaliers et à maîtriser les pouvoirs NEXO. Ces pouvoirs confèrent à notre armure entière des propriétés anti-monstres extraordinaires! Nous avons des épées ultra-puissantes, des arbalètes haute technologie... du génie à profusion!

— Ah bon, dit Fletch.

Il se sent terriblement mal informé au sujet des pouvoirs NEXO et de tout ce qui concerne les chevaliers.

— Ne t'en fais pas, dit Izzy. Tu apprendras! Enfin, je l'espère...

Des élèves de première année trottent ici et là, à la recherche d'indices pour trouver la cachette de la précieuse épée d'argent de Ned Knightley. Certains consultent des cartes. Un élève fixe une tablette illuminée. Au loin, deux autres examinent un indice potentiel, cachés derrière un arbre.

Fletch aperçoit Zilgo et Beak qui tentent de soutirer des informations à un professeur, mais le duo ne semble pas y parvenir.

— Je suis au beau milieu d'une leçon de tactiques défensives, dit le professeur d'un ton brusque, et vous osez m'interrompre? *Dégagez!*

Fletch et Izzy sourient en voyant Zilgo, embarrassé, s'éloigner d'un pas lourd.

— C'est le capitaine Clash, le professeur de combat, explique Izzy. Il n'est pas très sympathique. Ça m'étonne qu'il n'ait pas décoché une flèche de dragon vers Zilgo.

Fletch n'est pas certain de savoir ce qu'est une flèche de dragon, mais il est convaincu que Zilgo en aurait mérité une.

Le bruit des combats s'estompe à mesure que Fletch et Izzy s'approchent de l'extrémité du terrain d'entraînement. Bientôt, ils remarquent une petite femme ronde à l'extérieur d'une bicoque tapissée de lierre, construite à l'aide de briques et de pierres effritées. La femme affûte la lame d'une hache sur une pierre à eau qui tourne sur elle-même.

— Izzy Richmond! s'écrie la femme en marquant à peine une pause pour les regarder. J'avais oublié que c'était ton année!

— Tu parles, dit Izzy. *Enfin!*

La femme arrête la meule et inspecte la hache. Sa lame est tranchante comme un rasoir, et son rebord luit sous les rayons du soleil de l'après-midi. Apparemment satisfaite, elle pose la hache.

— Ton frère va bien?

— Trop bien. Il m'énerve! gémit Izzy.

La femme rit, puis elle jette un coup d'œil à Fletch, l'examinant de la tête aux pieds.

— Eh bien, tu n'as que la peau et les os, toi! Mais ne t'en fais pas, on nourrit bien nos élèves. Je m'appelle Brutzle. Je suis un peu l'homme… enfin, la femme à tout faire ici.

Avant que Fletch ait pu lui tendre la main, Brutzle la lui saisit et la secoue à plusieurs reprises. Personne n'a jamais serré la main de Fletch aussi fort, et son bras lui donne l'impression d'être de la guenille quand Brutzle le lâche enfin.

— Enchanté! glapit-il. Je m'appelle Fletch.

Izzy s'approche tranquillement de Brutzle et lui dit :

— Nous espérions que tu pourrais nous fournir un indice...

— Un indice? répète Brutzle qui n'a pas l'air de comprendre.

Puis, une seconde plus tard, elle saisit.

— Mais oui! La mission de la première année! J'avais oublié que tu y participais...

Brutzle fouille dans sa poche et en ressort un bout de papier. Elle s'éclaircit la gorge, se redresse, puis lit d'une voix théâtrale :

Un chevalier des plus légendaires, l'épée brandie dans les airs.
À ses pieds il faut regarder, car un indice vous y trouverez...

Izzy sifflote doucement en réfléchissant aux curieuses indications de Brutzle, les tournant et les retournant dans sa tête avant de s'écrier tout à coup :

— La salle des chevaliers! C'est ça, Brutzle, hein?

— Tu ne tireras rien d'autre de moi, répond la femme avec un sourire chaleureux.

Elle ramasse une longue hallebarde par terre.

— Au boulot! Il faut garder les épées bien affilées et les boucliers résistants. Surtout avec Monstrox qui rôde aux alentours...

Izzy et Fletch remercient Brutzle avant de retourner en courant vers l'Académie. Alors qu'ils gravissent un long escalier de pierre, Fletch a soudain l'impression qu'on les suit. Il jette un regard par-dessus son épaule et voit Zilgo et Beak qui essaient, sans succès, de passer inaperçus. Avant que Fletch ait pu en informer Izzy, celle-ci déclare :

— Je sais. Zilgo nous suit. Il s'imagine qu'il va pouvoir marcher dans notre sillage jusqu'à la victoire.

Ils atteignent un large couloir où se succèdent de nombreuses classes de quatrième année.

— Quelle heure est-il? demande Izzy.

Fletch consulte une horloge numérique au mur.

— 14 h 05.

— Parfait, dit Izzy.

À cet instant précis, le son d'une trompette retentit. C'est la fin du cours, constate Fletch lorsqu'une dizaine de portes s'ouvrent de chaque côté du couloir. Aussitôt, des centaines d'élèves sortent des classes.

Izzy s'élance parmi eux, marchant courbée sous les sacs à dos et passant en coup de vent devant les professeurs. Fletch s'efforce de la suivre : à droite, à gauche, à gauche, à droite, en haut d'un escalier, en bas d'un autre, vite dehors pour traverser une terrasse baignée de soleil, puis de nouveau à l'intérieur.

Zilgo et Beak sont loin, très loin derrière lorsque Fletch et Izzy arrivent dans la salle des chevaliers.

CHAPITRE TROIS

Fletch reste bouche bée.

— Oh là là! dit-il tout bas.

Izzy sourit.

— Je sais. Impressionnant, n'est-ce pas?

Ils se trouvent à l'intérieur d'une longue galerie remplie d'imposantes sculptures de bronze représentant des chevaliers légendaires. Certains sont à cheval. D'autres se tiennent debout, tels des héros, épée et bouclier à la main. Fletch retient son souffle tandis qu'ils avancent sur le carrelage luisant en briques. La salle lui rappelle les musées décrits dans les livres qu'il a lus. Elle paraît s'étirer à l'infini, avec ses centaines de sculptures, toutes énormes.

— Ce sont les chevaliers de l'âge d'or, dit Izzy. C'était avant la magie numérique. Avant les pouvoirs NEXO. Avant Merlok 2.0.

— Merlok 2.0? demande Fletch.

— Mais oui, la version numérique de Merlok. Tu sais qui est Merlok, n'est-ce pas?

— Aaah, bien sûr que oui, répond Fletch d'un ton peu convaincant. Mais tu pourrais faire comme si je ne le savais pas, et tout me raconter à son sujet. Question de nous amuser…

— Fletch, mon vieux, tu es un menteur pitoyable, dit Izzy en riant. Merlok 2.0, c'est le gourou de notre système d'exploitation! Merlok était le dernier magicien du royaume. Mais il s'est sacrifié pour arrêter le Livre des monstres. Il y a eu une terrible explosion, et *pouf!* Merlok a disparu. Heureusement, il a réussi à sauvegarder une copie de lui-même dans le réseau d'ordinateurs de Knighton. Aujourd'hui, il arrive à exploiter simultanément le pouvoir de la magie et de la technologie.

— Je comprends, dit Fletch, même s'il n'est pas certain d'avoir *tout* compris. Bon, maintenant… Nous cherchons un chevalier dont l'épée est pointée vers le ciel, c'est ça? Je me demande si…

Fletch ne parvient pas à terminer sa phrase.

Il a ressenti quelque chose. Un serrement, là, au creux de son ventre. Il avale sa salive avec difficulté. Rapidement, des gouttelettes de sueur apparaissent sur son front.

Pas maintenant, pas maintenant, pas maintenant, se dit Fletch.

Ce malaise n'est pas nouveau pour lui. Il l'a déjà ressenti avant, à l'orphelinat. Il l'a baptisé *la sensation*.

La sensation semble se produire n'importe quand, sans jamais s'annoncer. Tantôt, elle se fait discrète. Tantôt, elle est puissante et envahissante.

Jamais Fletch n'a parlé de *la sensation* à qui que ce soit. Jamais. Il n'est même pas certain qu'il arriverait à la décrire s'il essayait. C'est comme une sorte de bourdonnement dans son ventre, ou comme si une main tirait doucement sur son cœur.

Bien sûr, on ressent tous des choses au fond de soi-même. Des intuitions. Mais cette sensation-là est différente. C'est *plus* qu'une intuition. Ça va *au-delà* de l'intuition.

Fletch commence à avoir la tête qui tourne, et ses jambes deviennent peu à peu molles comme du coton. Il doit s'appuyer contre une sculpture pour reprendre son souffle.

Jamais *la sensation* n'a été aussi forte.

— Est-ce que ça va?

— Hein? fait Fletch.

Izzy observe Fletch avec un mélange d'inquiétude et de curiosité.

— Est-ce que tu te sens bien? Tu n'as pas l'air, euh… *dans ton assiette*.

Avec le temps, Fletch a appris à dissimuler *la sensation*. À l'orphelinat, quand il la sentait venir, il parvenait toujours à s'esquiver. Souvent, il allait se cacher dans la grange en attendant que ça passe. Fletch trouve *la sensation* embarrassante; à cause d'elle, il se sent différent des autres.

Et il n'a jamais souhaité ça. Jamais. En fait, la seule chose que Fletch a toujours voulue, c'est être comme tout le monde. Normal.

Mais il a beau essayer, il est incapable de cacher *la sensation* qui l'assaille en ce moment.

Il regarde Izzy. Ses mains tremblent.

— Je vais bien, dit-il. C'est juste que j'ai cette sensation. Ça m'arrive parfois. C'est un peu comme… enfin, je ne sais pas.

Izzy hausse un sourcil.

— Vas-y, l'encourage-t-elle. Crache le morceau.

Fletch a la gorge nouée. Il tente d'empêcher ses mains de trembler, puis il se décide. D'accord, il va essayer de lui expliquer.

— C'est comme si… T'es-tu déjà trouvée dans un nouvel endroit où tu avais l'impression de connaître les lieux? Tu savais où passer, quelle rue emprunter, où tourner… Désolé, j'ai du mal à trouver les mots.

Izzy plisse les yeux alors qu'elle essaie de comprendre.

— Tu veux dire que cette sensation t'indique où aller?

— Non. Enfin, oui. Mais pas toujours. Parfois, c'est comme s'il y avait quelque chose là, tout près. Juste hors de ma portée et de mon champ de vision.

Fletch baisse les yeux.

— Je sais. J'ai l'air cinglé. Je suis bizarre. Tu n'as pas choisi le bon partenaire. Je suis navré, Izzy.

Celle-ci glousse.

— Oh, tais-toi! C'est *bien* d'être bizarre. Qui voudrait des amis normaux et ordinaires?

Fletch relève la tête.

— Tu parles sérieusement?

Izzy lui sourit amicalement et hoche la tête.

— Bon, alors tu dis que tu as un truc spécial... une sorte de boussole interne. C'est ça?

— En fait, ce que je veux dire...

— On va s'en servir pour s'orienter, déclare Izzy. *Voilà.*

— Non, je n'ai jamais...

Izzy lui décoche un sourire malicieux.

— Le temps est venu de retirer le mot « jamais » de ton vocabulaire, Fletch. Et tout de suite.

— Mais et la mission?

— On ne peut pas se lancer dans une aventure sans désobéir à quelques règles, répond Izzy en haussant les épaules avec nonchalance. Tu crois que Clay Moorington est devenu le plus grand chevalier du royaume en suivant toujours les règles?

— En fait, oui, dit Fletch. Il paraît qu'il suit les règles à la lettre, non?

— Oui, c'est vrai. Mauvais exemple. Tu sais, j'ai même entendu Clay apprendre par cœur le code d'honneur des chevaliers *en entier!* Il est en quelque sorte le héros le plus héroïquement héroïque de tous les temps! C'est pour ça qu'il est le chef de l'équipe des chevaliers NEXO. Et pour ça aussi qu'il rend mon frère dingue...

— Tu vois? dit Fletch. On devrait agir comme Clay le ferait! Il terminerait la mission.

Izzy pousse un grognement.

— Et Macy, elle? C'est ma *préférée*, et elle est devenue chevalier uniquement parce qu'elle a *ignoré* son père, qui est nul autre que le roi! Ignorer ce qu'on est censé faire peut se solder par quelque chose de *fabuleux*. Alors Fletch, qu'est-ce que tu choisis? La mission ou *la sensation?*

Fletch a peur. Très peur. *Mais à quoi bon avoir peur?* se demande-t-il. Toute sa vie, il a eu peur. Comme Izzy l'a dit, l'Académie des chevaliers est l'endroit rêvé pour bâtir son avenir et devenir celui qu'il a envie d'être. Cette phrase lui parle. Beaucoup. En tout cas, beaucoup plus que le mot « peur ».

Fletch finit par déclarer :

— *La sensation.* Laissons-nous guider par elle.

Il ne s'en rend pas compte au début, mais il marche très vite dans le couloir. *La sensation* ne lui pèse plus comme avant. Maintenant qu'il l'a acceptée, il se sent plus fort, plus confiant, et il n'est plus aussi effrayé. *La sensation* le pousse vers l'avant.

C'est à cet instant qu'une sculpture attire l'attention de Fletch. Quelque chose accroche au creux de son ventre. Et cette *sensation* le force à s'arrêter. Cette sculpture n'a rien d'extraordinaire. Elle n'est pas particulièrement intéressante ni étrange, si ce n'est que *la sensation* pousse Fletch vers elle.

Il s'immobilise au-dessous d'elle.

Au même moment lui parviennent des voix.

Izzy se réfugie d'un côté de la sculpture. Loin, très loin dans le couloir, elle repère Zilgo et Beak.

— Si ta sensation te dit de faire quelque chose, souffle Izzy, fais-le maintenant. Les deux idiots s'amènent.

Sans trop savoir pourquoi, Fletch tend le bras et agrippe la longue lance de fer enfouie dans la main de la sculpture de bronze. Il se dit qu'il s'apprête sûrement à enfreindre une dizaine de règles de l'Académie, mais ça ne l'arrête pas. Il tire sur la lance d'un coup sec.

CLIC!

La lance bouge et s'abaisse.

Le plancher gronde. La base en bronze de la sculpture glisse lentement vers l'arrière, dévoilant un orifice rond et sombre de la taille d'une bouche d'égout. Une bouffée d'air frais s'élève de l'obscurité. Penchés au-dessus de l'ouverture, Izzy et Fletch aperçoivent le premier barreau d'une échelle.

— Qu'est-ce que tu en penses? demande Izzy.

Fletch la regarde, et un sourire espiègle se dessine sur son visage.

— Je pense que nous venons de découvrir un passage secret.

Fletch sait que ce n'est pas le moment d'hésiter. Zilgo et Beak ne sont pas loin derrière.

Il balance ses jambes dans le trou et amorce sa descente. Izzy le suit sans tarder.

Ils n'ont franchi que quelques mètres lorsque l'échelle en métal commence à vibrer. La sculpture se remet en place, et la lueur provenant de la salle au-dessus d'eux pâlit.

— Fletch, lance Izzy d'un ton nerveux, est-ce que je t'ai dit que j'étais un tantinet maladroite?

— J'ai cru remarquer.

— En tout cas, si je tombe, ce sera sur toi!

Ils descendent avec précaution, un barreau après l'autre. Le puits est étroit, et Fletch sent la pierre humide effleurer ses épaules. Bientôt, ses mains sont moites de sueur, et l'obscurité lui pèse, comme si une couverture étouffante l'enveloppait.

Fletch se met à imaginer les pires scénarios. Car c'est comme ça que son cerveau fonctionne. Et si cette échelle comptait un milliard de barreaux, et qu'elle allait jusqu'au centre de la terre? Et s'ils étaient en train de descendre vers une fosse habitée par des monstres affreux? La claustrophobie prend peu à peu la place de *la sensation*.

Et là, juste au moment où ses mains deviennent si mouillées que Fletch est convaincu qu'il va tomber, ses pieds touchent le sol.

— Les catacombes! dit Izzy en sautant les derniers barreaux pour atterrir près de Fletch. Nous sommes dans les catacombes! Je croyais qu'elles n'étaient qu'un mythe. C'est un labyrinthe de vieux tunnels qui serpentent sous la cité.

Fletch lève les yeux vers l'échelle avec laquelle ils ont descendu. Il estime qu'elle doit être au moins aussi haute qu'un immeuble de deux étages. Cela signifie qu'ils sont maintenant *bien loin* au-dessous de l'Académie.

Heureusement, les catacombes ne sont pas aussi sombres que le puits. Il y a de la lumière : une lueur bleue qui semble venir de partout et de nulle part à la fois. Comme si l'air lui-même était luminescent.

Scrutant la pénombre bleutée, Fletch constate qu'ils se trouvent dans un long tunnel en briques craquelées, qui semble s'étirer à l'infini dans deux directions. Fletch repense à son arrivée quelques heures plus tôt, et songe à quel point tout lui a paru lumineux, extraordinaire et prometteur à son arrivée à l'école. À l'opposé, ces catacombes froides et humides sont sombres, repoussantes et inhospitalières.

— Alors, demande Izzy, ta super sensation te dit d'aller à gauche ou à droite?

Fletch plonge en son for intérieur, interroge *la sensation*, puis indique la droite.

Ils avancent dans le couloir apparemment sans fin. Au début, Fletch marche à pas prudents, foulant avec précaution le sol couvert de boue. Mais bientôt, il prend de l'assurance et presse le pas.

Le tunnel serpente et zigzague. Les murs en briques sont effrités et usés par le temps. Une eau fétide ruisselle du plafond. Une forte humidité flotte dans l'air.

Plissant les yeux dans l'obscurité azurée, Fletch aperçoit un embranchement au loin dans le tunnel. Il prend soudain conscience d'une chose :

— Izzy, si on continue, on sortira du terrain de l'école. Tu te souviens de ce qu'a dit le directeur Brickland? Tu pourrais être renvoyée. Tu rêves de devenir chevalier, et si on te renvoie…

Izzy lève les yeux vers le plafond de briques grises, à moins d'un mètre au-dessus de sa tête.

— Fletch, dit-elle, je ne sais pas si le *sous-sol* de l'école est considéré comme étant *hors* du terrain de l'école.

— Mieux vaut ne pas jouer sur les mots, dit Fletch.

Izzy affiche un grand sourire.

— Mais *j'adore* jouer, moi!

Tout à coup, une bouffée d'air chaud s'engouffre dans le couloir. Elle répand aussitôt une odeur de vieille chaussure et s'accompagne de l'écho sinistre de quelque chose de vivant.

CLIC-CLIC, CLIC-CLIC, CLIC-CLIC.

Fletch reste figé. Le visage d'Izzy pâlit à vue d'œil. Elle se retourne lentement et jette un coup d'œil dans la direction d'où ils sont venus.

— On peut encore faire demi-tour, Fletch, murmure-t-elle.

Plus tard, Fletch repensera souvent à ce moment, et sera toujours surpris de sa réponse à Izzy. Car il *veut* rebrousser chemin. Une voix hurle dans sa tête : *FUIS! Sors d'ici, file, retourne-toi et cours, ne regarde pas derrière, ne t'arrête pas. VA-T'EN!*

Mais lorsque Fletch ouvre la bouche pour répondre, les mots qu'il prononce sont plutôt :

— Je continue.

Et Fletch le pense vraiment. Il n'essaie pas de paraître brave ou de jouer les héros. Il est *certain* qu'il le fera. En fait, jamais de sa vie il n'a été aussi certain d'une chose. L'endroit est sombre et donne l'impression d'être hanté, et Fletch risque de s'y perdre complètement et pour toujours. Mais même sans Izzy, il continuera.

Toute sa vie, il a ignoré *la sensation*.

Mais c'est terminé. Il doit découvrir où *la sensation* veut le mener.

— Toi, par contre, tu devrais faire demi-tour, dit-il à Izzy. Vraiment. Je ne veux pas que tu t'attires des ennuis, ou pire encore...

Izzy prend une grande respiration et regarde Fletch droit dans les yeux.

— Là-bas, tu tomberas peut-être sur Monstrox et ses serviteurs. Ou sur une autre crapule encore inconnue! Je ne peux pas te laisser partir seul. C'est *ton* intuition, *ta* sensation et donc *ta* décision. Mais je te suis.

— D'accord. Allons-y.

— Mais, ajoute Izzy avec un sourire taquin, il vaudrait mieux qu'il y ait quelque chose de *vraiment, vraiment* chouette au bout de tout ça.

Sur ce, ils poursuivent leur chemin. Le couloir suit un parcours des plus sinueux. À un certain moment, Fletch est convaincu qu'ils tournent en rond. Tout a l'air d'être exactement pareil : ils voient les mêmes murs de briques sales, le même sol imbibé de boue, la même lueur bleue.

Des fragments de statues désagrégées parsèment le sentier et craquent sous leurs pas. Fletch remarque de vieux crânes fêlés appartenant à des monstres anciens, enchâssés dans les murs ébréchés du tunnel. Il a l'impression que les crânes l'observent.

— Si seulement j'avais une lampe de poche, dit Izzy. Peut-être qu'on y verrait quelque chose.

À l'instant où elle prononce ces mots, Izzy distingue *bel et bien* quelque chose. Elle pousse un cri strident et fait un bond d'un mètre dans les airs.

Fletch comprend aussitôt pourquoi...

Non loin devant eux, une créature d'un bleu lumineux rampe dans le tunnel. Fletch s'approche peu à peu et constate qu'il s'agit d'une énorme araignée, apparemment *mutante*. Elle semble chargée d'énergie électrique.

L'araignée s'arrête, ses grosses pattes poilues continuant à marteler le sol. Elle se retourne pour regarder Fletch et Izzy. Elle émet un son, le même qu'ils ont entendu plus tôt :

CLIC-CLIC, CLIC-CLIC, CLIC-CLIC.

Elle s'éloigne rapidement en cahotant avant de filer au prochain tournant.

Fletch jette un coup d'œil vers Izzy. La lumière bleutée danse sur son visage, et il voit bien qu'elle a peur. Sans dire un mot, ils avancent à pas de loup, tournant au coin pour suivre l'ignoble araignée.

Et ils en voient d'autres.

Beaucoup d'autres.

Ils voient des araignées, des serpents, des insectes et des bestioles de toutes les tailles. Tous sont d'un bleu lumineux.

Izzy plaque une main sur sa bouche pour ne pas hurler. Elle laisse quand même échapper un hoquet de frayeur à peine perceptible parmi les cris, les cliquetis et les sifflements des créatures.

— Fletch, chuchote Izzy, ça m'ennuie *énormément* d'avoir à te dire ça, mais… *j'ai horreur* des insectes!

Durant un instant, un éclair de fierté brille dans les yeux de Fletch.

— Pas moi. Quand on a vu un homard de la taille d'un bouledogue, il n'y a plus rien qui nous dégoûte.

Soudain, toutes les créatures se ruent dans le couloir, ondulant, serpentant ou détalant à toute vitesse. Fletch et Izzy s'élancent derrière elles. La sensation de Fletch se précise.

— Par ici! s'écrie Fletch avant de se mettre à courir.

La boue gicle sous leurs pieds et la lueur bleue s'intensifie. Au tournant suivant, ils sursautent en même temps lorsqu'ils distinguent...

Une silhouette.

Elle se tient au bout du couloir. Derrière elle et tout autour, le passage devient beaucoup plus large. La silhouette est parfaitement immobile, rayonnant d'une énergie bleutée et argentée.

Izzy bondit rapidement sur le petit rebord qui longe le mur de chaque côté du tunnel. Fletch en fait autant. Ils se plaquent contre les briques pour mieux se fondre dans la pénombre des murs.

La voix d'Izzy n'est plus qu'un souffle quand elle demande :

— C'est... c'est une personne qui est là?

Fletch, qui arrive à peine à respirer, doute d'être en mesure de produire un son.

— Je crois, parvient-il à prononcer.

Izzy sort la tête de l'ombre, juste le temps de jeter un coup d'œil furtif.

— Si c'est une personne, c'est la plus grosse que j'aie jamais vue!

Fletch a le cœur qui bat la chamade, mais il s'oblige à avancer, un pied après l'autre.

— Il n'y a qu'une façon de le savoir, Izzy. Viens...

La lumière fluorescente qui bourdonne doucement leur éclaire la voie alors qu'ils se faufilent jusqu'à l'étrange silhouette. Des étincelles statiques crépitent, et à chaque éruption ils en découvrent un peu plus sur la chose : un capuchon, deux yeux, une armure.

Et tout à coup, une dernière éruption... D'un éclat aveuglant, comme un éclair. L'évidence leur saute aux yeux.

— Ce n'est pas du tout une personne! constate Fletch.

— C'est une statue! s'exclame Izzy. Une statue de pierre.

Fletch repousse ses cheveux de devant ses yeux et s'aperçoit qu'il est en sueur. Son cœur bat toujours à tout rompre.

L'énergie bleue est maintenant si vive qu'elle illumine entièrement la statue. Un serpent chatoyant ondule autour de son cou. De ses petits yeux noirs, il darde sur eux un regard perçant avant de disparaître par-dessus l'épaule de pierre. Fletch s'attend à voir Izzy reculer sous l'effet de la peur, mais elle ne bouge pas. Ses craintes ont laissé place à la curiosité.

— Je crois que la statue tient un bouclier à l'envers, murmure Izzy.

Mais en s'approchant encore davantage, ils voient qu'il ne s'agit pas d'un bouclier. Pas *exactement*.

— C'est un pouvoir NEXO! dit Izzy. Ça alors! On vient de découvrir un nouveau pouvoir NEXO! Enfin, je *crois*. Les boucliers renferment des pouvoirs, et ce truc ressemble à un bouclier à l'envers. Oui, je parie que c'est un pouvoir NEXO *perdu*. Mon vieux, on nous fera probablement chevaliers *dès demain!* On n'aura pas besoin d'étudier et on passera directement au combat contre les monstres!

Fletch n'est pas aussi convaincu qu'Izzy. Un pouvoir NEXO ici, dans ce trou? Izzy en connaît beaucoup plus que lui sur la question, mais ça ne semble pas logique. Ils se trouvent dans une impasse, au plus profond des catacombes sombres et humides. Sans la fameuse *sensation*, jamais ils n'auraient découvert cet endroit. On croirait plutôt qu'il s'agit d'une chose que quelqu'un souhaitait garder cachée.

— Viens, prenons-le, dit Izzy.

Fletch marmonne quelques mots et fait signe que non. Il éprouve un sentiment étrange, sûrement pas le premier de la journée, mais celui-ci lui fait dresser les cheveux sur la tête.

— Izzy, dit-il, mieux vaut être prudents.

Izzy balaie ses craintes du revers de la main.

— Qui ne risque rien n'a rien.

Sur la pointe des pieds, elle tend les bras et agrippe le bouclier à deux mains.

— Tu vois, aucune raison de…

DZZZZIIII!

Un *CRAC!* assourdissant retentit ensuite dans l'étroit tunnel, projetant Izzy en arrière. Celle-ci heurte violemment le mur des catacombes avant de tomber sur le derrière.

— Izzy! crie Fletch en se précipitant vers elle.

Les cheveux d'Izzy frisottent et tire-bouchonnent, et ses yeux tournoient presque dans leurs orbites.

— Ouah!... fait-elle tout bas. C'est comme si j'avais traversé pieds nus la plus grande moquette du monde, et que j'avais ensuite tourné la poignée la plus métallique du monde.

Fletch laisse échapper un petit rire de soulagement.

— Ça va?

Izzy lève une main tremblante.

— Un peu secouée, mais ça va.

Fletch lève les yeux vers le bouclier qui a failli électrocuter son amie. Plus il l'observe, plus il se sent bizarre.

La sensation au creux de son ventre monte jusque dans sa poitrine. Il la sent s'étirer, se déployer et s'étendre à l'intérieur de lui. Son corps se réchauffe à mesure que *la sensation* l'envahit, comme si du cidre de pomme chaud circulait dans ses veines.

En fait, il n'a même plus l'impression d'habiter son propre corps. C'est comme s'il était quelqu'un d'autre et qu'il *regardait Fletch*. Il se sent comme dans un rêve.

Le bouclier se met à grandir et envahit son champ de vision.

Il a l'impression que des bulles de boisson gazeuse dansent à la surface de ses mains. C'est à cet endroit que Fletch ressent le plus l'énergie.

Ce n'est qu'au bout d'un moment qu'il se rend compte que ses mains *remuent*. Elles s'agitent et s'élèvent dans les airs, comme s'il dirigeait un orchestre. Elles bougent lentement au début, puis de plus en plus vite.

Izzy lui parle, mais sa voix lui paraît lointaine et faible. Cela lui rappelle quand il était à l'orphelinat, et que le directeur l'appelait pour souper alors qu'il se trouvait deux étages plus haut derrière une porte close.

Puis des couleurs apparaissent. Elles jaillissent des mains de Fletch. Les nuances tourbillonnent, laissant des traînées derrière elles, comme s'il peignait sans toile ni pinceau.

Les couleurs vives et éclatantes ramènent brusquement Fletch à la réalité. Il entend clairement Izzy maintenant :

— Fletch, *qu'est-ce qui se passe?* répète-t-elle sans cesse.

— Je n'en sais rien! s'écrie Fletch.

Ses mains continuent à fendre l'air. Chaque mouvement s'accompagne de jets rouges, blancs, verts, bleus et jaunes d'une vive intensité.

Puis soudain, les couleurs disparaissent, et sont remplacées par quelque chose d'encore plus étrange. Des éclairs fulgurants fusent maintenant des mains de Fletch! L'électricité se jette sur la statue, reliant du même coup Fletch à l'étonnante silhouette de pierre.

Lentement, presque imperceptiblement, la statue se met *à bouger.*

Alors que l'électricité tournoie autour d'elle, la statue remue les bras. Des fragments de pierre s'effritent et de la poussière millénaire flotte dans l'air. La statue semble émerger d'un très long et très profond sommeil.

— Recule! crie Izzy. Elle prend vie!

Mais Fletch se contente d'observer la scène, à la fois effrayé et fasciné. Des éclairs continuent à jaillir de ses mains. Izzy l'empoigne et tente de l'éloigner, mais sans succès. Elle n'y parvient qu'une fois l'éruption d'énergie calmée et l'attaque d'éclairs achevée. Quel que soit le geste extraordinaire et magique que Fletch vient d'accomplir, c'est maintenant terminé.

La statue tend ses mains de pierre géantes. Le bouclier s'y trouve. Elle l'*offre* à Fletch...

CHAPITRE QUATRE

Ailleurs dans le royaume de Knighton...

Un vieux chevalier fatigué est assis sur un trône d'os dans un manoir qui tombe en ruines. Il est endormi. Il dort souvent, et se réveille rarement. Mais quelque chose vient de le sortir de sa torpeur. Il a senti un réveil.

La vieille main du chevalier est décharnée. L'homme lève sa main squelettique et la laisse retomber sur le bras de son trône.

Le claquement qui s'ensuit incite à se lever six autres chevaliers qui dormaient sur le plancher de la salle du trône. Ils sont plus petits que le vieux chevalier fatigué, et ils portent une armure incomplète. Ce sont des squelettes : des squelettes vivants qui marchent et qui parlent.

— Messire B, vous êtes réveillé? demande l'un des chevaliers-squelettes d'un ton nerveux.

Le vieux chevalier fatigué, le baron von Bludgeonous, prend la parole. Sa voix sèche et éraillée n'est qu'un grognement.

— Un pouvoir a été trouvé. Un Rogoule s'est réveillé. Je le sens.

Les chevaliers-squelettes avancent en se traînant les pieds.

— Devons-nous le récupérer? demande l'un d'eux.

— *Bien sûr* que vous devez le récupérer! aboie le baron von Bludgeonous.

— D'accord. Très bien. Parfait, répond le même chevalier-squelette. Je ne savais pas si nous devions rester un peu, vous préparer un bain, cuisiner des nachos, puis récupérer le pouvoir plus tard…

— Espèce *d'idiot!* rugit le baron von Bludgeonous. Vous êtes mes chevaliers! Je suis votre seigneur! Vous faites ce que je vous demande! Et vous le faites *tout de suite.* Les nachos peuvent attendre…

Le chevalier-squelette s'empresse de hocher la tête. Mais, ce faisant, le poids de son casque fait craquer son cou osseux et basculer son crâne vers l'avant. Il rattrape sa tête juste avant qu'elle dégringole.

Le baron von Bludgeonous se lève, saisit une lance presque aussi large que lui, et l'envoie droit devant.

— Allez! Aux catacombes! *MAINTENANT!*

* * *

— Mon vieux, qu'est-ce que c'était que tout ça? s'exclame Izzy en sautillant d'un pied sur l'autre. Attends, ne réponds pas. Je vais te dire ce que c'était. C'était *la chose la plus géniale que j'aie jamais vue!*

Fletch ne sait pas quoi dire à Izzy. La seule chose qu'il ressent, c'est sa propre adrénaline qui retombe, et un mélange de stupeur, de surprise et d'excitation.

— Tu connais le proverbe : « À cheval donné on ne regarde pas la bride », dit Izzy en désignant le bouclier d'un hochement de tête. Nous devrions peut-être le prendre. Mais comment?

Les yeux plissés, Fletch fixe avec détermination le bouclier offert et tend les bras pour le saisir. Izzy écarquille les yeux, mais Fletch, lui, se fie à un curieux instinct qui l'assure qu'il ne recevra pas de décharge électrique.

Au moment où il s'apprête à le prendre, le bouclier devient encore plus lumineux. On dirait que l'énergie s'est retirée de la statue, du sol, des murs et de l'air pour aller se loger uniquement *à l'intérieur* du bouclier.

Fletch entoure le bouclier de ses bras, comme s'il lui faisait un gros câlin, et le retire des mains de la statue.

Il se retourne lentement.

— Je l'ai, dit-il tout bas.

C'est alors qu'il voit le visage d'Izzy devenir blanc comme un linge.

— F-F-Fletch, bredouille-t-elle. Derrière toi…

Fletch entend ce qui se passe avant de le voir. Le pied de la statue se désagrège et se disjoint, révélant un vortex d'énergie bleue. Les pierres tourbillonnent, prisonnières de cette tornade d'électricité. La statue paraît différente maintenant. Elle est toujours en pierre, mais elle est… *vivante*.

Fletch s'éloigne d'un pas chancelant.

— On devrait peut-être courir… suggère Izzy.

Et c'est ce qu'ils font, avec la statue à leurs trousses. Fletch et Izzy foncent dans le long couloir. Derrière eux, la statue se déplace tel un requin, nageant dans les airs.

— On devrait peut-être lui rendre le bouclier! crie Fletch. Il n'est pas à nous!

— C'est un pouvoir NEXO! On ne peut pas le rendre. Il faut qu'on mette Merlok au courant de tout ça!

Le bouclier est aussi haut qu'eux et presque aussi large. Il n'est pas particulièrement lourd, mais il demeure encombrant, et Fletch est vite hors d'haleine. Izzy court devant, refaisant le trajet en sens inverse en tentant de se rappeler quel chemin sinueux ils ont emprunté.

Tout à coup, Fletch s'arrête.

— Écoute!

Izzy lance un regard derrière elle dans le couloir. La statue les suit toujours et paraît sur le point de les rattraper.

— On ne s'arrête pas! Cette drôle de statue se rapproche. Elle pourrait nous dévorer.

Fletch fronce les sourcils.

— Tu crois qu'une statue va nous manger?

— Je ne sais pas, moi! Je n'ai jamais croisé de statue vivante! Elle pourrait nous manger, nous battre, nous bourrer de coups, nous pulvériser, qui sait?

Fletch porte une main à sa bouche. Il entend des pas légers qui sonnent creux, ainsi que le cliquetis d'armures trop grandes. Quelques instants après, un fracas de métal et d'os résonne dans le couloir alors que six chevaliers-squelettes surgissent au tournant. Fletch et Izzy ont le souffle coupé en voyant les morts-vivants se précipiter vers eux dans leurs armures rouillées, en brandissant des épées tout aussi rouillées.

Fletch et Izzy sont pris au piège, désespérément coincés dans l'étroit tunnel alors que des squelettes les attendent dans une direction, et qu'une statue monstrueuse s'amène à toute vitesse dans l'autre. Tout en fonçant sur eux, la statue ramène vers elle sa lourde main lumineuse et remplie d'énergie.

Puis elle brandit son énorme poing de pierre en avant!

Fletch et Izzy se préparent au pire : ils seront écrasés par cette statue géante maintenant animée. Mais la main de pierre passe plutôt entre leurs deux têtes...

Fletch ouvre de grands yeux en la regardant s'abattre sur le chevalier-squelette le plus proche. Le chevalier explose, aussitôt réduit en un petit tas d'os et de métal.

— Elle a frappé ce squelette, et pas nous! s'écrie Izzy d'un ton soulagé. Au fait, Fletch, *il y a des squelettes ici!*

Un deuxième chevalier dégaine son épée.

— Il y a un Rogoule ici! crie-t-il aux autres dans un grognement. Le pouvoir a été découvert!

Fletch et Izzy échangent un regard à la fois ahuri et interrogateur.

— Un Rogoule?

La statue, qui est apparemment un Rogoule, continue sa course. Izzy s'écarte vivement pour la laisser passer.

— Je vais t'aider à le porter! dit-elle à Fletch en saisissant le bas du bouclier.

Le Rogoule soulève le premier chevalier et l'expédie dans le mur, mais un autre chevalier se faufile, forçant Fletch et Izzy à faire rapidement marche arrière.

— Bonjour, les enfants, dit le chevalier-squelette en brandissant son épée.

Le métal corrodé de la lame se reflète sur son crâne gris-blanc, formant un sinistre trait dansant.

— Ce pouvoir ne vous appartient pas.

Fletch et Izzy reculent prudemment de quelques pas.

— Izzy, dit Fletch, je commence à croire qu'on n'aurait jamais dû quitter l'Académie...

— C'est ta sensation qui nous a menés ici! lui rappelle Izzy.

— Eh bien, maintenant je *sens* que c'était une erreur! déclare Fletch.

— Qu'est-ce qui te fait dire ça? Ton instinct ou la petite armée de morts-vivants?

— Un peu des deux.

— Attention! crie Izzy.

CLIIING!

L'épée du chevalier va s'abattre sur eux! Tenant chacun un côté du bouclier, Fletch et Izzy le lèvent bien haut pour parer le coup. Le chevalier s'acharne, frappant le bouclier avec son épée et repoussant Fletch et Izzy toujours plus loin en arrière. Le métal jette des étincelles dans l'obscurité.

Les orbites vides et sans expression du chevalier-squelette brillent d'une furie soudaine. Mais avant qu'il puisse frapper de nouveau...

VLAN!

Le Rogoule soulève le chevalier dans les airs. Un rugissement s'échappe de la bouche du squelette, mais il est si pitoyable et aigu qu'on dirait un miaulement de chaton. Le Rogoule n'a qu'à serrer le chevalier dans sa lourde main pour le réduire en miettes.

Puis il se dirige en trombe vers les autres chevaliers, éliminant rapidement un trio de méchants squelettes.

CRING!

CRANG!

CRONG!

Il ne reste plus qu'un chevalier. Les orbites agrandies de frayeur, il laisse vite tomber son épée.

— Le baron von Bludgeonous sera mis au courant de tout ça! Et il sera furieux! Vraiment, vraiment furieux! crie le chevalier.

Il tourne les talons et s'enfuit, disparaissant dans la pénombre. De toute évidence, il a assez vu le Rogoule pour l'instant.

Izzy jette un coup d'œil sur les os éparpillés, puis sur le Rogoule qui plane toujours.

— Qu'est-ce qu'on fait maintenant? demande-t-elle.

— Maintenant, on rentre à l'Académie, répond Fletch.

Il pousse un grognement et soulève le bouclier à deux mains.

— On se déplacera plus vite si seulement l'un de nous transporte le bouclier.

Mais quelques instants plus tard, Fletch regrette *amèrement* de s'être porté volontaire pour prendre le bouclier. Son dos le fait souffrir comme s'il avait travaillé trois jours d'affilée à la ferme.

— Et qu'est-ce qu'on va faire de notre ami le Rogoule? demande Izzy.

Fletch observe la statue qui a pris vie.

— Peut-être que c'est ici que nos chemins vont se séparer, dit-il avec espoir.

* * *

Mais il n'en est rien.

Et malheureusement, rentrer à l'Académie est plus facile à dire qu'à faire. Fletch et Izzy passent près de deux heures à errer dans les catacombes. Le Rogoule les suit sans relâche.

Fletch et Izzy ont pourtant tout essayé pour se débarrasser de l'étrange statue magique : ils ont crié, se sont cachés, ont tenté la diversion, l'autorité, la fuite, mais sans succès. Lorsqu'ils finissent par retrouver l'échelle, le Rogoule est toujours avec eux, et Fletch constate qu'ils ont un autre problème.

Il lève les yeux vers l'échelle dont l'extrémité disparaît dans l'obscurité, puis les pose sur le bouclier. Il n'a *aucune* idée comment s'y prendre pour monter là-haut avec ce truc. Il pousse un soupir.

— Et maintenant? demande-t-il à Izzy. Comment faire pour retourner là-bas avec le bouclier?

— Mais est-ce un bouclier ou un pouvoir NEXO? Là est la question. Comment allons-nous l'appeler? Il *ressemble* à un bouclier, mais *c'est* un pouvoir NEXO.

— Peu importe ce que c'est, dit Fletch. C'est *trop lourd* pour que l'un de nous puisse le hisser au sommet d'une échelle qui fait deux étages de hauteur.

Là-dessus, il laisse tomber le bouclier sur le sol humide et s'adosse au mur pour reprendre son souffle. *Quelle journée!* se dit-il. *Quel après-midi!* Il se tourne vers Izzy, qui semble partager ses pensées puisqu'ils se mettent à rire tous les deux. Bientôt, ils rient à gorge déployée. Alors qu'ils sont là à attendre et à chercher un moyen de hisser le bouclier (ou est-ce un pouvoir?) jusqu'en haut, ils prennent soudain conscience de ce qui vient de se passer : l'aventure, le combat, les chevaliers-squelettes, la statue. Fletch s'attendait à ce que sa première journée à l'Académie lui en mette plein la vue, mais tout ça va bien *au-delà* de ses espérances.

— *HA, HA, HA!*

Voilà que le Rogoule s'y met aussi, laissant échapper un gros rire guttural et saccadé.

— Il a donc le sens de l'humour? s'étonne Izzy. De mieux en mieux…

Fletch repousse les cheveux qui lui tombent devant les yeux tout en songeant à un plan.

— Hé, tu crois qu'il voudrait nous rendre service?

Curieusement, le Rogoule semble deviner ce que Fletch a en tête. La statue se penche, ce qui constitue en soi un spectacle très étrange, et soulève le bouclier. C'est aussi simple que cela! Voilà comment ils feront monter le pouvoir jusqu'en haut!

Il faut arrêter de rire et grimper.

Fletch agrippe les barreaux, et Izzy le suit. Lorsqu'il jette un coup d'œil en bas, Fletch est heureux de voir qu'il ne s'est pas trompé : le Rogoule est bien derrière. Il grimpe avec eux, même s'il ne semble pas avoir vraiment besoin de *grimper*. Son corps le propulse vers le haut.

Fletch se demande comment ils parviendront à déplacer la sculpture pour regagner l'Académie lorsque soudain, le mécanisme se met en branle, comme quand ils sont descendus. Il s'aperçoit que le barreau qu'il tient est en fait un interrupteur. C'est grâce à lui que le passage secret s'est refermé plus tôt, et qu'il s'ouvre de nouveau.

Fletch se hisse hors du passage, suivi d'Izzy et enfin du Rogoule. Fletch note avec soulagement que la salle des chevaliers est déserte. Izzy enlève ses lunettes et cligne des yeux pour leur permettre de s'habituer à la douce lumière de l'Académie.

Le Rogoule allonge brusquement les bras pour leur offrir le bouclier. Remettant vite ses lunettes, Izzy s'empresse de tendre les bras à son tour pour le récupérer. Aussitôt, le Rogoule retire le bouclier hors de sa portée. Lorsque Fletch se présente devant lui, le Rogoule lui remet le bouclier sur-le-champ.

— Je crois que c'est toi qu'il préfère, dit Izzy. Il sait bien se battre, mais il manque terriblement de jugement.

— Oui, sans doute, dit Fletch. Hé, tu entends ça?

Un brouhaha de voix à l'extérieur leur parvient par une fenêtre ouverte près de la sortie. Izzy traverse la salle en courant.

Fletch lance un regard au Rogoule.

— Elle est assez enthousiaste par moments.

— *GREU*, fait le Rogoule.

— Viens voir! s'écrie Izzy. C'est ce minable de Zilgo! Beak et lui ont trouvé la précieuse épée d'argent de Ned Knightley.

Fletch court rejoindre Izzy, tandis que le Rogoule flotte derrière lui. De la fenêtre, Fletch aperçoit les élèves de première année réunis sur le terrain d'entraînement tout en bas. À contrecœur, il semble, et avec un certain agacement, le directeur Brickland félicite Zilgo et Beak d'avoir rempli la mission.

Fletch et Izzy poussent tous deux un grognement exprimant la même frustration.

— C'est nous qui aurions dû gagner, dit Fletch. Zilgo a triché pour obtenir le prix. Il nous a suivis, et à partir de là c'était sans doute du gâteau.

L'air renfrogné d'Izzy disparaît subitement lorsqu'elle exprime son dédain d'un petit geste de la main.

— Pffft! De toute façon, qui voudrait d'une vieille épée poussiéreuse? Nous avons quelque chose de beaucoup mieux : un pouvoir NEXO!

La gorge de Fletch se serre au moment où une question troublante surgit dans son esprit. Que feront-ils de ce pouvoir? Ils ne peuvent pas simplement l'apporter au directeur Brickland ou à Merlok. Ces derniers sauraient qu'ils ont quitté le terrain de l'Académie. Et il leur faudrait fournir un tas d'explications, pour expliquer des choses que Fletch n'est pas prêt à expliquer. *La sensation*, par exemple.

Il a bien voulu partager cela avec Izzy, mais avec le directeur? Et ensuite, probablement, avec toute l'Académie? Tout le monde serait au courant. Les élèves, les enseignants, les robots... *Tout le monde*. Rien que d'y penser, il a envie de se recroqueviller sous une couverture et de ne jamais en sortir.

— Izzy, on ne peut pas simplement céder le pouvoir. On ne peut pas. Je ne peux pas.

— Je sais. On va trouver une solution. Mais plus important encore, il faut d'abord planquer notre ami, ajoute Izzy en esquissant un geste vers le Rogoule. Et vite, pendant que tout le monde est dehors.

Fletch mesure du regard l'imposante statue flottante.

— Mais où veux-tu qu'on le cache?

Izzy lui décoche un grand sourire.

— Quoi? Pourquoi souris-tu comme ça?

Izzy sourit de plus belle, les yeux pétillants de malice. Et tout à coup, Fletch devine... Il pousse un grognement.

Les résidences sont situées presque à l'autre bout du campus, mais Izzy connaît plusieurs raccourcis. Ils délaissent donc les principaux couloirs et escaliers, évitant du même coup d'être vus traversant le campus en catimini avec une immense statue vivante. C'est très bien ainsi, car Fletch est persuadé que c'est interdit.

En entrant dans le long couloir des chambres des élèves de première année, Fletch repère rapidement son vieux sac de voyage miteux devant une porte. Il est bel et bien arrivé à destination, comme le directeur Brickland l'a promis. Fletch le balance par-dessus son épaule.

— Je crois que c'est ma chambre, dit-il.

Fletch et Izzy rentrent le bouclier dans la pièce, et le Rogoule s'empresse de les suivre.

— Entre donc, marmonne Fletch à la statue. Fais comme chez toi.

Une fois la porte fermée, il se tourne vers Izzy.

— J'ai pris une décision. Je vais remettre le pouvoir NEXO au directeur Brickland. Je dirai que j'y suis allé seul. Je ne parlerai pas de *la sensation*, ni des squelettes ni du reste. Je ne prononcerai pas ton nom, Izzy. Je ne veux pas que tu aies des ennuis à cause de ma sensation.

Izzy secoue la tête.

— C'est bien pensé, mon vieux, mais je ne veux pas que tout le mérite te revienne. On devrait peut-être en parler à mon frère.

— Tu lui fais confiance?

— C'est mon frère!

— Alors, tu lui fais confiance ou pas? répète Fletch.

— En fait, non, pas vraiment, répond Izzy en soupirant.

Ils entendent du bruit dans le couloir. Ce sont les élèves de première année qui viennent de prendre part à la mission. Ils récupèrent leurs sacs et découvrent leurs chambres. La voix de Zilgo s'élève au-dessus des autres alors qu'il se vante de sa victoire.

— Il faut que j'aille à ma chambre, dit Izzy en ouvrant la porte et en sortant dans le couloir. Je reviens te chercher tout à l'heure, pour le souper.

— Tu as *vraiment* l'intention de laisser ce Rogoule ici? demande Fletch.

Izzy lève les yeux vers la statue qui plane.

— C'est toi qu'il aime, répond-elle avec un large sourire. Imagine, c'est le premier jour de classe, et tu t'es déjà fait *deux* amis.

Fletch roule les yeux, même si, effectivement, cette remarque lui fait chaud au cœur.

Izzy est sur le point de refermer la porte lorsqu'elle s'arrête et lance un regard à son ami.

— Hé, Fletch, une dernière chose dont on n'a pas eu le temps de parler.

Fletch hausse un sourcil d'un air interrogateur.

Le visage rayonnant d'Izzy trahit son excitation.

— *Tu as des pouvoirs magiques,* mon vieux!

CHAPITRE CINQ

Pendant ce temps, au vieux manoir qui tombe en ruines...

Le baron von Bludgeonous est mécontent. *Très mécontent.* Il manifeste son mécontentement en soulevant sa lance et en la plantant encore et encore dans son trône d'os. Des petits morceaux de la structure squelettique se brisent en éclats et se fendillent.

Le baron von Bludgeonous s'arrête, reprenant son souffle de mort-vivant dépourvu de poumons, et se tourne vers le chevalier porteur de la mauvaise nouvelle. Le chevalier-squelette est si nerveux qu'il tremble. Ses os tremblotants s'entrechoquent, produisant un claquement sonore.

D'une voix rauque et grinçante, le baron von Bludgeonous ordonne :

— Explique-moi ce qui s'est passé. Tout de suite.

— Nous avons trouvé le pouvoir, votre seigneurie, commence le chevalier-squelette.

— On dit « *mon* seigneur », corrige le baron. Ou « *votre* Altesse ». Pas « *votre seigneurie* ».

— Mon Altesse? tente le chevalier.

Le baron von Bludgeonous pousse un soupir râpeux et soulève la lance, prêt à attaquer son serviteur décharné.

— On dit « mon seigneur » ou « votre Altesse ». L'un ou l'autre! Mais sans changer le « mon » ou le « votre ». Peux-tu comprendre ça? Est-ce trop te demander?

Le chevalier tremblant balbutie :

— Je comprends, mon Alt… euh, *votre* Altesse. Comme je le disais, nous avons trouvé le pouvoir. Mais il avait déjà été retiré au Rogoule.

Les paupières osseuses du baron von Bludgeonous forment un V qui lui donne une expression à la fois furieuse et curieuse.

— Retiré?

— Oui. Par deux enfants.

— Des enfants? Tu es sûr que ce n'étaient pas, disons… de très, très, très petits adultes?

— Non, c'étaient des enfants, assurément. Ils ont parlé de l'Académie. L'un d'eux est un garçon, et le Rogoule semblait le protéger.

— Comme c'est intéressant... dit le baron von Bludgeonous alors qu'un sourire sinistre se dessine sur son visage.

Le chevalier-squelette continue :

— Mais c'est le Rogoule qui a commencé à nous frapper. Ou plutôt, à nous *rouer de coups*! Oui, c'est ça, à nous rouer de coups! Il a réduit les autres chevaliers en petit tas d'os!

— Mais toi? dit le baron von Bludgeonous. Tu n'es *pas* un petit tas d'os.

— N-N-Non. Je suis toujours debout.

— Ne me déçois pas de nouveau, dit le baron. Sinon, tu *deviendras* un petit tas d'os aussi. Compris?

— Je crois... Vous voulez dire que... vous me frapperez avec votre lance, c'est ça?

Le baron von Bludgeonous soupire, se cale dans son trône d'os et masse ses tempes osseuses.

— Oui, marmonne-t-il, c'est ce que je veux dire...

— Et que ferez-vous des chevaliers qui sont restés là-bas?

— Je vais les reconstruire, comme d'habitude, répond le baron. Qu'on les émiette ou qu'on les écrase, peu importe, ils sont déjà morts. Je peux toujours les ranimer. Comme Monstrox, qui fait apparaître les monstres à sa guise.

Le baron von Bludgeonous renvoie le chevalier d'un petit geste de la main. Tandis que le chevalier regagne les profondeurs du manoir, le baron tapote l'os faisant office d'accoudoir, son esprit tordu traitant l'étrange information.

Un garçon, pense le baron. *Un garçon a réussi à retirer un pouvoir à un Rogoule. Et maintenant, comme toujours, le Rogoule est devenu le défenseur de celui qui l'a libéré.*

Le baron von Bludgeonous est impressionné.

— Qui que soit ce garçon, dit-il à voix haute dans la pièce vide, il doit posséder de grands pouvoirs. Par conséquent, je dois le détruire.

* * *

— Qui es-tu? demande Fletch.

Le Rogoule ne répond pas.

Comme la statue ne semble pas vouloir faire la conversation, Fletch inspecte sa chambre. Il n'a jamais eu sa propre chambre avant, jamais. Il est ravi, même si la pièce est simple, nue et presque vide. On y trouve un lit, une table de nuit, un placard, un bureau, et pas grand-chose d'autre.

Après quelques efforts, Fletch est parvenu à enfouir le pouvoir sous son lit. Une fois cette affaire réglée, il essaie à nouveau de communiquer avec le Rogoule. Et ça ne va guère mieux...

— Qui. Es. Tu? demande-t-il.

— *GREU.*

Fletch soupire et repousse ses cheveux de devant ses yeux. Il n'a jamais été aussi troublé de toute sa *vie.* Il a la tête qui tourne.

Fletch imagine l'un de ses camarades de l'orphelinat lui poser des questions à propos de l'Académie des chevaliers.

— Comment s'est passée ta première journée? voudrait-il savoir.

Et Fletch répondrait :

— Oh! c'était une première journée tout à fait normale, sauf que j'ai découvert que je possédais un pouvoir étrange et extrêmement puissant, et que j'ai réveillé une énorme statue de pierre qui nous a sauvés, mon amie et moi. Au fait, j'ai une nouvelle amie, enfin… pour l'instant, et c'est une célébrité, en quelque sorte. Comme je le disais, la gigantesque statue de pierre nous a *délivrés* d'une bande de chevaliers-squelettes morts-vivants après qu'on a découvert un pouvoir

NEXO perdu depuis longtemps. Bref, c'était une première journée tout à fait normale.

Fletch se laisse tomber sur son lit, et il est aussitôt distrait de ses pensées par une merveilleuse sensation sous son derrière. Il a entendu certains élèves se plaindre du confort des lits à l'Académie, mais il se dit qu'ils devaient déjà dormir dans des lits *haut de gamme*, car le sien est incroyablement douillet. Peut-être que c'est parce qu'il vient de passer la plus longue journée de sa vie (même si elle lui a paru très courte), mais jamais il ne s'est assis sur quelque chose d'aussi confortable.

Il a envie de se reposer. Il se demande si, à son réveil, il découvrira que tout ça n'était qu'un rêve des plus bizarres.

— *GREU.*

Fletch soupire. Le Rogoule. Bien sûr, le Rogoule. Cette étrange statue vivante qu'il cache dans sa chambre. Ça, ce n'est pas un rêve.

— Veux-tu, euh… quelque chose à boire ou autre chose?

— *GREU.*

— C'est ça, *greu*. Quelque chose à manger, alors?

— *GREU.*

— Cette nuit, tu ne vas pas… m'écrabouiller durant mon sommeil, n'est-ce pas?

— *GREU.*

— J'espère que ça veut dire non.

— *GREU.*

— Je dois défaire mes bagages. Enfin, mon bagage. Je dois me brosser les dents. Et je dois…

Fletch s'interrompt, le temps de bâiller à se décrocher la mâchoire.

En guise de réponse, le Rogoule bâille à son tour ou, du moins, *imite* un bâillement. Fletch ricane.

— Tu as sommeil, toi aussi?

— *GREU.*

— OK, bonnes réponses. Notre conversation a été passionnante. Mais là, je suis *crevé*. Je vais m'allonger sur le lit et fermer les yeux avant d'aller souper. Cinq minutes seulement. Peut-être dix. Quinze minutes, au maximum. Sûrement pas plus de vingt. Rends-moi service, Rogoule, et réveille-moi dans vingt-cinq minutes, d'accord?

— *GREU.*

C'est ça. Fletch se couche sur le dos et laisse son corps s'enfoncer dans le matelas. Il pose la tête sur l'oreiller bourré de paille et s'endort en quelques secondes.

* * *

Quelque chose tire Fletch de son sommeil, mais ce n'est pas le Rogoule.

La première chose qui le réveille, c'est le soleil qui entre à flots par la fenêtre du deuxième étage, telle une lumière de projecteur jaune orange.

Il cligne des yeux.

Puis, c'est le fracas métallique des épées qui s'entrechoquent qui lui parvient de l'extérieur : entraînement de combat.

Il se redresse dans son lit.

Et enfin, des coups secs et insistants à sa porte : *TOC, TOC, TOC!*

Il saute du lit. Son regard se fixe sur le réveil posé sur la commode, l'une des rares choses fournies par l'Académie.

— Ah non! Huit heures du matin! s'exclame Fletch.

Le Rogoule plane exactement au même endroit qu'il planait douze heures plus tôt. La statue n'a pas bougé d'un poil, ce qui est logique, se dit Fletch. Après tout, c'est une statue.

— Tu étais censé me réveiller au bout de vingt-cinq minutes! s'écrie-t-il d'une voix anxieuse et stridente.

— *GREU.*

TOC, TOC, TOC!

— Argh! Tous ces bruits en même temps! bougonne Fletch.

Il court vers la porte et se contente de l'entrouvrir, de crainte que quelqu'un n'aperçoive le Rogoule. Mais dès qu'il l'entrebâille, la porte s'ouvre toute grande, et Izzy entre en coup de vent.

— Bien le bonjour, mon vieux! dit Izzy en souriant d'un air joyeux.

On dirait une boisson énergisante sur deux pattes.

— Tu as raté le souper hier soir. Mais tu n'as rien manqué, sauf quelques nuls qui étaient en pâmoison devant Zilgo. Ils ont déposé la précieuse épée d'argent de Ned Knightley sur un grand piédestal dans la salle des chevaliers. Zilgo en a fait tout un plat.

— Super… dit Fletch.

— Tu as raté le déjeuner aussi. Et si tu ne t'actives pas, tu manqueras *également* notre premier cours.

Fletch gémit, et son estomac aussi.

— Je n'ai rien mangé depuis une éternité.

Izzy lui flanque un sac en papier dans la main.

— Je t'ai apporté des saucisses et des beignes. Il faut bien que les amis servent à quelque chose. Maintenant, mon vieux, grouille-toi. Je t'attends dans le couloir. Vite!

Pas plus de quatre minutes plus tard, Fletch a dévoré trois beignes et deux saucisses graisseuses, s'est douché, habillé, brossé les dents en plus de passer une main dans ses cheveux.

De nouveau, il entrouvre la porte, et cette fois il entraîne Izzy dans sa chambre.

— Qu'est-ce qu'on est censés faire de *lui*? demande Fletch en montrant le Rogoule.

Izzy hausse les épaules.

— Laisse-le ici. Il va t'attendre.

— Je ne peux pas le laisser ici. Regarde, il me suit. J'ai découvert qu'il a pris cette mauvaise habitude quand je suis sorti de la douche et qu'il flottait là, dans la salle de bains.

— Bizarre, dit Izzy.

— En effet.

— Une minute... Qu'est-ce que tu veux dire exactement par « *il me suit* »? demande Izzy.

— Il bouge dès que je fais un pas!

Fletch en fait la démonstration : il traverse la chambre, et le Rogoule se met aussitôt à flotter juste derrière lui.

— Ça ne fait rien. On n'a qu'à verrouiller la porte.

— Et si quelqu'un entre? s'écrie Fletch. Je ne sais pas comment ça fonctionne ici, à l'Académie. Peut-être qu'ils font une tournée des chambres.

Izzy sifflote doucement, songeuse, tout en balayant la pièce du regard.

— Quand ma mère me demandait de ranger ma chambre, je fourrais tout dans le placard...

Il y a un placard dans la chambre. Izzy ouvre grand la porte et, ensemble, ils arrivent à faire entrer le Rogoule à l'intérieur. Fletch lance son sac sur la tablette du haut, puis ils ferment la porte. L'instant d'après, le Rogoule cogne contre la porte pour tenter de sortir.

BOUM.

BOUM.

BOUM.

Izzy fronce les sourcils pendant un moment, puis déclare avec un optimisme à toute épreuve :

— Ne t'en fais pas. Il va finir par se fatiguer. Maintenant, *ALLONS-Y!*

— Je dois faire mon lit, dit Fletch.

— Pourquoi? À quoi ça sert de faire ton lit? Tu vas le défaire de toute façon.

— Je fais mon lit tous les jours! Sinon, on n'a pas de souper.

Izzy lève les yeux au ciel.

— Fletch, tu n'es plus dans cet orphelinat de malheur au fin fond des bois! *Allons-yyyyy!*

Fletch jette un coup d'œil à la porte du placard. Il n'est pas convaincu que le Rogoule va finir par se lasser...

BOUM.

BOUM.

BOUM.

Rapidement, Fletch arrache le drap de son lit, l'enroule autour des poignées de porte du placard et fait un nœud.

— Navré, Rogoule, dit-il. Mais je vais revenir! Promis!

Il sort et suit Izzy dans le couloir. L'école commence!

CHAPITRE SIX

Izzy et Fletch se faufilent dans une salle de classe.
— Je vois que vous tenez de votre frère. Aucun respect des règles, des horaires, *du temps des autres...*

Izzy et Fletch échangent un regard inquiet. C'est leur premier cours : *Techniques de combat*. Et ils sont arrivés en retard.

Le capitaine Clash est grand et mince, et son visage rappelle à Fletch le cuir de cheval. Une longue cicatrice traverse son visage, de son œil jusqu'à sa gorge. Pour Fletch, ce visage évoque de grandes batailles, menées il y a longtemps. On dirait un homme d'une autre époque.

Izzy paraît toute petite à côté de lui.

— Votre appartenance à la famille Richmond veut peut-être

dire quelque chose pour certains de ces élèves, mais ça ne veut *rien* dire pour moi, dit le capitaine Clash. Monstrox se moque bien que vous soyez une Richmond. Un Grimroche n'aura que faire de votre nom quand il brandira une hache pour frapper votre tête blonde. Vous comprenez?

— Oui, répond Izzy à voix basse.

— Oui…?

— Oui, *capitaine Clash.*

— Bien. Prenez une chaise.

— Certainement. Où voulez-vous qu'on la mette? demande Izzy en lui lançant un sourire blagueur.

Le capitaine Clash ne rit pas. Fletch ne rit pas non plus. Personne ne rit. Izzy baisse la tête, avale sa salive et s'empresse de suivre Fletch vers le banc le plus proche.

Fletch promène son regard autour de lui, admirant la superbe salle de classe haute technologie. D'énormes étagères chargées de livres se dressent autour des élèves. Les murs sont tapissés d'images de chevaliers en armures de combat. Un peu partout dans la salle, on trouve des globes, des cartes et des écrans lumineux. Une immense fenêtre s'étend sur toute la longueur de la classe, offrant une vue sur Knightonia. Fletch a du mal à croire que cet endroit est sa nouvelle demeure, que c'est ici qu'il passera ses journées à apprendre.

Le capitaine Clash ne perd pas de temps et passe immédiatement aux choses sérieuses. Le cours est à peine commencé qu'il explique déjà les tactiques de combat. Jusqu'à présent, Fletch a seulement combattu des crabes, des morues et quelques rares poissons-haches d'argent, et c'était uniquement au moment de les remonter dans le bateau. Il s'est déjà servi d'une hache pour couper des galets, mais le résultat a été désastreux. Il a aussi chassé des mulots de la cuisine à l'aide d'un balai. Mais là s'arrête son expérience de combat. Oh, il allait oublier les catacombes, où il a bloqué, esquivé et reculé. Mais toutes ces manœuvres, au fond, avaient pour but *d'éviter* d'avoir à combattre les chevaliers-squel…

Fletch reçoit un bon coup de coude dans les côtes.

— Hein?

Izzy lui fait les gros yeux. Fletch constate que le capitaine Clash est penché au-dessus de son bureau et le foudroie du regard.

— Avez-vous un trouble de l'audition, monsieur Bowman? demande le professeur.

— Non, monsieur, répond Fletch. Enfin, pas que je sache. C'est que, je n'ai jamais passé de véritable test auditif. Alors j'imagine que c'est *possible* que j'aie un trouble de l'audition. Cela donne à penser…

Immédiatement, Fletch se met à réfléchir à son champ auditif et à la qualité de son audition en général.

De nouveau, Izzy lui enfonce son coude dans les côtes :

— Contente-toi de répondre à la question! chuchote-t-elle.

— Oh! Oui. Désolé. J'entends très bien. Excusez-moi, capitaine Clash, mais… Pouvez-vous répéter la question, s'il vous plaît?

Le capitaine soupire.

— J'ai dit : En tant que chevalier, quel type d'arme comptez-vous apprendre à manier?

Fletch sent son front se plisser. Il réfléchit à toute vitesse. Puis il décide simplement de dire la vérité : il n'en a aucune idée, et il n'y a pas encore pensé.

Un murmure parcourt l'assemblée. Ensuite, c'est le silence. Puis, les rires. Fletch se retourne pour regarder les élèves qui l'observent comme s'il avait des tentacules qui lui poussaient sur la tête. Même Izzy grogne.

Une voix résonne au fond de la salle :

— Il n'a jamais pensé à l'arme qu'il voulait apprendre à manier! Il ferait un meilleur *concierge* pour l'Académie qu'un chevalier!

C'est Zilgo, bien sûr. Il rit aux éclats avec Beak et quelques autres garçons de première année. Fletch a chaud tout à coup. Si seulement Zilgo savait que lui, Fletch, est différent de *tous les autres élèves*, qu'il possède des pouvoirs qu'eux ne pourraient jamais comprendre! Des pouvoirs que même *lui* n'arrive pas à comprendre!

—Tu as quelque chose contre les concierges, Ethan? demande une autre voix. Sais-tu que mon père est préposé à l'entretien au château du roi?

Fletch tourne la tête de nouveau. La voix est celle d'un élève plus âgé qui se trouve au fond de la salle, appuyé contre une étagère. Le garçon a des cheveux bruns hirsutes comme ceux de Fletch, et des sourcils arqués et bien dessinés.

— C'est Robin Underwood, murmure Izzy, un élève de deuxième année. Il travaille sur des projets ultrasecrets avec Merlok 2.0. *C'est tellement génial!*

Le capitaine Clash présente Robin comme étant un apprenti de deuxième année et un aide-enseignant. Il explique que Robin l'assistera durant l'année, et qu'il donnera le cours d'aujourd'hui.

D'un pas bondissant, Robin gravit rapidement les marches jusqu'à l'estrade du professeur et tapote un long écran bleu presque aussi large que la classe. L'image d'une armure apparaît, et tous les élèves se redressent sur leur siège, très excités.

— Un chevalier a besoin d'une tenue de métal pour se protéger. Cette armure représente le summum de la haute technologie, mais elle n'atteint sa pleine puissance que lorsqu'un pouvoir NEXO est utilisé. Le pouvoir NEXO se propage à travers toute l'armure, conférant aux chevaliers des habiletés, de la force et une protection supplémentaires.

Une autre image apparaît à l'écran. Il s'agit d'un bouclier.

— Le bouclier est l'un des objets les plus importants pour un chevalier. Les boucliers NEXO ressemblent aux boucliers traditionnels, mais en *beaucoup* mieux. Chaque côté du bouclier représente une interface Wi-Fi et un écran numérique. Merlok peut transmettre des pouvoirs NEXO au chevalier par le biais de leurs boucliers. Tout ce que le chevalier doit faire, c'est de lever son bouclier et de dire : « Merlok… CHEVALIER NEXOOOOOO! » Un rayon émanant du bouclier s'élève alors dans les airs et se connecte à Merlok 2.0. Puis, le transfert des pouvoirs NEXO s'effectue. Pouf! C'est aussi simple que ça.

En examinant le bouclier à l'écran, Fletch se dit qu'Izzy avait raison. Il *semble* identique à celui qu'ils ont trouvé dans les catacombes. Pourtant, il ne l'est *pas*. Il a quelque chose de différent. Plus Fletch réfléchit, plus il a le sentiment que c'est leur devoir de parler de leur trouvaille au directeur Brickland.

— Ça vous plaît? demande Robin à la classe.

Chose certaine, ça plaît à Izzy, car elle tressaille d'excitation. Toute la table en tremble.

Robin arbore un sourire railleur.

— Eh bien, devinez! Vous devrez attendre un peu avant d'avoir votre armure et votre bouclier. Ce n'est qu'une fois qu'ils ont terminé leurs études à l'Académie des chevaliers que les élèves finissants reçoivent un bouclier. C'est un symbole d'excellence, d'honneur et de fierté. Il vous faudra donc patienter! Vous commencerez avec le système Novix. C'est la version d'entraînement destinée aux futurs chevaliers. Autrement dit, les pouvoirs NEXO pour débutants.

Un grognement de déception se répand dans la salle.

— Ne vous en faites pas. Vous vous amuserez comme des fous, continue Robin en se dirigeant vers le Novix.

C'est un gros appareil, de la taille d'un réfrigérateur, doté d'innombrables boutons, interrupteurs et voyants lumineux. Il s'en dégage la même lueur bleue qui habite la majeure partie de l'Académie.

Robin tapote l'appareil.

— Cet appareil Novix transmet des pouvoirs NEXO simulés à vos boucliers d'entraînement de première année. Vous me suivez? Bien.

Le capitaine Clash appuie sur un bouton, et des panneaux s'écartent instantanément sur les murs. Des armures d'entraînement apparaissent, glissant vers eux comme si elles reposaient sur des cintres. Les élèves se lèvent d'un bond, et un murmure de stupéfaction parcourt la classe. Un panneau glisse sur un autre mur, dévoilant toute une collection d'armes : épées, poignards, massues et lances.

Le capitaine Clash montre l'arsenal d'un geste de la main.

— Robin, je vous laisse prendre la relève ce matin.

— Choisissez vos armures! lance Robin.

— C'est *super!* dit Izzy.

Le sourire fendu jusqu'aux oreilles, elle suit les autres élèves. Tous se précipitent vers les portants, impatients de revêtir leur armure. Fletch met au moins dix minutes à revêtir la sienne. Il n'a que son plastron sur lui alors que les autres ont déjà terminé. Il réussit à mettre une botte, mais il trébuche et heurte le mur. Il est persuadé qu'il s'est cassé le nez. Ça commence bien. Izzy accourt pour l'aider.

— Elle t'aide aussi à enfiler tes sous-vêtements? demande Zilgo avec un petit rire sot.

Robin circule dans la salle et montre quelques trucs aux élèves : comment faire basculer les genouillères d'un petit coup sec ou resserrer les gantelets, par exemple.

Ensuite vient la question des armes, celle-là même qui a fait de Fletch la risée de toute la classe un peu plus tôt.

Robin désigne l'arsenal d'un geste, et ordonne aux élèves de se choisir une arme.

— Essayez-les, soupesez-les, trouvez-en une avec laquelle vous êtes à l'aise.

Les élèves se jettent sur les armes comme si c'étaient des cadeaux d'anniversaire attendant d'être ouverts.

Fletch avance de quelques pas, puis recule. Lorsqu'il atteint enfin le grand mur des armes, il n'en reste qu'une : un arc et des flèches.

Qu'est-ce que je suis censé faire avec ça? se demande Fletch.

Partout dans la classe, les élèves expérimentent leurs nouvelles armes. On brandit des épées, on pointe des lances. Izzy a opté pour une massue hérissée de courtes pointes, et elle la manie déjà comme une experte. Fletch observe la scène avec envie.

— C'est toi qui te retrouves avec ce bon vieil arc? demande une voix amicale.

Fletch se tourne vers Robin. Il hausse les épaules, et prend aussitôt conscience de la difficulté de hausser les épaules avec une armure de vingt kilos sur le dos.

— Ça m'en a tout l'air.

Robin lui sourit chaleureusement.

— Aaron Fox utilise un arc, lui aussi, et c'est peut-être le meilleur chevalier qui existe.

Pendant un instant, Fletch voit d'un autre œil l'arc bleu sophistiqué qu'il a entre les mains.

— Nous allons terminer ce premier cours de combat avec une courte séance d'entraînement, annonce Robin. Contact léger, on y va doucement. Trouvez un partenaire!

Trouvez un partenaire? Sans blague! Pas encore! se dit Fletch. Au moins, cette fois, il sait qu'Izzy sera sa...

— Je prends Fletch! aboie Zilgo.

Les yeux du garçon brillent d'une lueur malicieuse. Fletch lui jette un regard mauvais.

Les élèves se dispersent, et l'entraînement commence. Des bruits métalliques et le vacarme des coups résonnent dans la salle. Fletch espérait d'abord observer les autres, mais Zilgo se dirige déjà à grands pas vers un espace libre dans un coin.

— Ici. Maintenant.

Les épaules de Fletch s'affaissent tandis qu'il le suit à regret. Il baisse les yeux et contemple son arc et ses flèches. Autant se battre avec un plumeau...

— Hé, Fletch, dit Zilgo, désolé à propos des farces que j'ai faites plus tôt. Je ne pensais pas ce que j'ai dit.

Fletch le foudroie du regard.

— Je parle sérieusement, ajoute Zilgo en lui tendant la main. Amis?

Fletch lui tend la main à contrecœur.

— D'accord. Je crois qu'on peut...

D'un geste vif comme l'éclair, Zilgo agrippe la main de Fletch et le projette contre le mur! Puis il s'élance, épée au poing. Fletch se baisse vivement et lève une épaule, bloquant le coup de justesse. L'épée s'abat sur l'armure de Fletch avec un bruit métallique.

Furieux, Fletch en oublie son arc et ses flèches, et se rue sur Zilgo dans l'intention de le plaquer au sol, de le rouer de coups, n'importe quoi. Mais Zilgo pivote rapidement et allonge le pied pour le faire trébucher. Fletch s'étale par terre.

Tandis qu'il se relève tant bien que mal, Zilgo frappe violemment le plastron de Fletch avec la poignée de son épée. Fletch en perd le souffle. Il se débarrasse de son casque et se plie en deux, haletant.

— Zilgo!

Le jeune tyran se retourne juste au moment où Izzy s'élance. Un *CLANG!* assourdissant retentit lorsqu'elle lui fauche les pieds.

— Pourquoi ne pas te battre contre quelqu'un qui a un peu d'expérience? demande Izzy.

Les autres élèves baissent tous leurs armes. Ils se rassemblent autour d'Izzy et Zilgo, impatients de les voir se battre en duel.

— Quand tu veux, répond Zilgo d'un ton hargneux.

Izzy recule de quelques pas, empoigne son arme, et fonce!

Elle se précipite vers Zilgo qui court lui aussi vers Izzy. Tous les deux brandissent leur arme, prêts à frapper. Mais à cet instant précis…

Le capitaine Clash bondit entre les deux! Il allonge brusquement ses bras protégés par une armure et… *CLANG!*

Izzy perd sa massue, et l'épée de Zilgo tombe par terre avec fracas.

— Assez! rugit le capitaine Clash.

Il se tourne vers l'élève de deuxième année.

— Robin Underwood, allez-vous vraiment permettre à ces deux élèves de première année de se cogner dessus?

Robin hausse les épaules.

— Pas du tout. J'allais seulement les laisser aller un peu, le temps de voir ce qu'Izzy a appris de son grand frère.

Le capitaine Clash se contente de lui lancer un regard furieux.

Au son de la trompette annonçant la fin du cours, Fletch se dit qu'il n'a jamais été si heureux et soulagé de toute sa vie. Mais son bonheur est de courte durée.

Le capitaine Clash fait une dernière annonce.

— Tous les élèves combattront demain lors de la compétition de combat des élèves de première année, qu'on appelle la *Combatition*. À cette occasion, je pourrai évaluer vos compétences et vous grouper selon votre niveau d'habiletés. Alors, reposez-vous!

Fletch soupire tandis qu'il se dirige vers le couloir en compagnie d'Izzy pour se rendre à leur prochain cours.

— On va devoir revenir ici? Et se battre *encore une fois*?

Izzy lui adresse un grand sourire.

— Mieux que ça! Demain, on combattra dans l'arène de l'Académie!

— L'arène de l'Académie? répète Fletch.

— Oui. C'est fou! C'est une immense structure qui surgit du sol! La pelouse s'écarte de part en part pour laisser place à une belle grande arène! Elle apparaît comme par magie! On ne l'utilise que pour les tournois de l'Académie, les galas, ce genre de trucs. Elle peut accueillir des milliers de personnes.

La gorge de Fletch se serre. Il se met à transpirer des aisselles, ce qui ne fait qu'accentuer son anxiété.

— Attends… Tu veux dire que…?

— Mais oui! complète Izzy d'une petite voix aiguë. La Combatition se déroule devant les élèves, les professeurs et les robots-écuyers. Même les habitants de la ville peuvent obtenir des billets! *Tout le monde* te verra te battre.

Fletch hoche la tête et vomit presque.

* * *

L'horaire à l'Académie des chevaliers est chargé, les cours et périodes de combat se succédant toute la journée. Le deuxième cours de Fletch et Izzy est un cours de géographie terriblement ennuyeux donné par la professeure Scapeland. Elle a continuellement l'air de s'endormir, et semble encore moins intéressée par la géographie que ses propres élèves, ce qui n'est pas peu dire.

Le cours *Histoire des chevaliers et de Knighton* n'est guère mieux. Le professeur Relik donne un cours magistral sur Ned Knightley et ses très nombreux actes héroïques. Ned Knightley : le héros de la bataille du château d'or, la légende dans la guerre des monstres contre Monstrox, et enfin, le chevalier qui a fait l'ultime sacrifice pour protéger Knighton. Fletch est fasciné par tout cela, même si c'est une nouvelle occasion pour Zilgo de se vanter d'avoir réussi la première mission.

Fletch attendait avec impatience le cours Combos de pouvoirs. Toute la journée, Izzy lui a répété à quel point ce serait captivant. Fletch, pourtant, a trouvé le cours terrifiant. Il n'en connaît déjà pas beaucoup sur les pouvoirs NEXO, et le professeur Ottofae est parvenu à l'embrouiller encore davantage. Fletch a compris que trois chevaliers pouvaient s'unir pour télécharger trois pouvoirs NEXO distincts qui fusionneraient ensuite pour former un seul combo de pouvoirs NEXO.

Mais, apparemment, les combos de pouvoirs NEXO ne sont pas encore perfectionnés, et il est impossible de prédire ce qu'on va obtenir avec eux. Quand le professeur Ottofae a accidentellement téléporté un énorme morceau de beurre de trois tonnes dans la classe, Fletch s'est dit que les combos de pouvoirs NEXO n'étaient peut-être pas faits pour lui…

Le cours *Introduction au code d'honneur des chevaliers : rudiments de la chevalerie*, consiste essentiellement pour les élèves à réciter le code d'honneur des chevaliers, encore et encore… Fletch est sur le point de s'endormir, mais il se ragaillardit en se rendant à son dernier cours de la journée : *Survol de la magie numérique.*

Fletch a attendu ce moment toute la journée. Il espère apprendre la magie, et peut-être même obtenir des réponses au sujet de *la sensation.*

Ava Prentis donne ce cours. Elle est en deuxième année seulement, mais elle travaille en étroite collaboration avec les plus célèbres chevaliers du royaume *et* avec Merlok 2.0.

— Bienvenue, dit Ava aux élèves.

Elle parle d'une voix traînante qui donne l'impression qu'elle s'ennuie énormément tout en étant incroyablement intelligente. Fletch la trouve tout de suite extraordinaire.

Fletch s'assoit, emballé. Il tape constamment du pied. *Finis, les combos de pouvoirs, fini, le combat,* se dit-il. *Place à la magie.*

En faisant l'appel, Ava marque une pause avant de prononcer un nom.

— Izzy Richmond?

Izzy lève aussitôt la main.

— Présente!

Ava lève les yeux et fronce les sourcils.

— Dis à ton frère qu'il me doit cinq pièces d'or.

— D'accord! dit Izzy d'un ton joyeux.

Ava plonge dans les rouages internes de la magie numérique, et Fletch boit chacune de ses paroles. Elle se déplace d'un écran à l'autre, appuie sur des boutons, fait apparaître des images de boucliers et de pouvoirs.

— C'est la magie numérique qui transforme des chevaliers ordinaires en chevaliers NEXO. Un jour, quand vous serez au combat, ce sera peut-être *moi* qui vous transmettrai la puissante hache au poivre, l'un des pouvoirs NEXO, dont vous aurez désespérément besoin.

Fletch lève tout de suite la main. Ava regarde sa liste, puis lève les yeux vers Fletch.

— Fletcher Bowman? dit-elle.

— Oui.

— Tu as une question?

— Oui.

— Je t'écoute.

— Apprendrons-nous la *vraie* magie dans ce cours? Je parle de la magie traditionnelle.

Ava observe Fletch avec curiosité.

— Non. Il n'y a aucune raison de le faire. Merlok est le seul magicien du royaume.

— Ah, dit Fletch.

Au bout d'un moment, il lève la main encore une fois.

— Je peux poser une autre question?

— Oui, Fletcher.

— Comment peut-on être certain qu'il n'y a qu'un magicien dans le royaume?

Ava hausse les épaules.

— C'est un fait. Avant, il y avait un Conseil des magiciens, mais ses membres sont tous devenus malfaisants les uns après les autres. Seul Merlok est parvenu à les vaincre. Et après, il ne restait plus que lui. Donc, comme je le disais, il n'y en a qu'un.

— Ah, dit Fletch.

Après quelques instants, le voilà qui lève la main de nouveau.

— Hum… Encore une question.

Ava soupire.

— Oui, Fletcher?

— Pouvez-vous m'appeler Fletch, tout simplement?

Tandis qu'Ava continue à expliquer les rudiments de la magie numérique, Izzy attire l'attention de Fletch. Elle écarquille les yeux en articulant en silence le mot « magicien ». Après ce qui s'est passé dans les catacombes la veille, tous les deux pensent la même chose : se pourrait-il qu'il y ait *deux* magiciens à Knighton? Et que Fletch soit l'un d'eux?

— Vous devez vous rappeler, poursuit Ava, que vous ne deviendrez pas *tous* de grands combattants. Peut-être découvrirez-vous que votre véritable vocation est l'étude de la technologie.

— Ce serait parfait pour Fletcher! beugle Zilgo au fond de la classe. Il n'y aurait pas de danger pour lui!

Fletch se tourne pour lui jeter un regard mauvais, mais il est plutôt frappé de stupeur. Un terrible choc le secoue, et c'est tout juste s'il ne bondit pas de son siège. Dans l'embrasure de la grande porte vitrée, Fletch aperçoit le Rogoule qui passe en planant dans le couloir.

— Izzy! souffle Fletch. Il est sorti!

— Qui?

— Le Rogoule! dit Fletch dont le chuchotement se rapproche de plus en plus d'un cri de panique.

Il se lève promptement. Son cœur bat à tout rompre tandis qu'il sent que toute la classe l'observe. *Oh non, oh non, oh non! Qu'est-ce que je vais dire?*

La tête baissée, Izzy murmure :

— Toilettes, toilettes, toilettes.

Ava regarde Fletch, qui a l'air complètement affolé.

— Oui, Fletcher? demande-t-elle d'un ton las.

— Euh, il faut que j'aille aux toilettes! lâche-t-il.

Les mots ont déboulé très vite.

Ava hausse les épaules.

— Ce n'est pas moi qui vais t'en empêcher.

— Merci, dit Fletch, déjà à mi-chemin de la sortie.

Un instant plus tard, il fait irruption dans le couloir. Derrière lui, il entend des gloussements et des ricanements dans la classe.

Fletch repère le Rogoule qui circule rapidement plus loin dans le couloir, répandant sa lumière bleue et son bourdonnement électrique. Il n'arrive pas à croire que personne ne l'a encore remarqué.

— Rogoule! dit Fletch.

Le Rogoule se retourne lentement, puis s'amène à toute vitesse vers Fletch. Ce dernier constate qu'il s'est décoré de ses vêtements : des chaussettes pendent sur ses épaules, et un caleçon boxeur est accroché à sa tête encapuchonnée.

Fletch pousse un gémissement et fourre rapidement le caleçon dans sa poche.

— Il faut te ramener avant que quelqu'un t'aperçoive! dit Fletch. Je vais me faire renvoyer à cause de toi!

— GREU.

Fletch regarde dans les deux directions. Il doit parcourir tout le trajet jusqu'à sa chambre, à l'autre bout de l'Académie.

— Suis-moi, dit-il.

Quelques secondes plus tard, Fletch court à toutes jambes dans le couloir, et le Rogoule vrombit derrière lui. Devant chaque porte de classe, Fletch s'arrête brusquement, jette un coup d'œil dans la classe pour s'assurer de pouvoir passer sans être vu, puis reprend sa course. Le Rogoule le suit de près, butant contre lui à chaque arrêt soudain.

Alors qu'ils approchent de sa chambre, Fletch tourne au coin d'un couloir, et son cœur bondit dans sa poitrine. Le directeur Brickland marche dans le couloir! Fletch revient aussitôt sur ses pas… et heurte aussitôt le Rogoule.

— *GREU.*

— Je ne vais pas me faire renvoyer, je vais me faire tuer! dit Fletch en se frottant le nez. Le Livre des monstres a été vaincu, mais Monstrox est toujours dans les parages! Brickland va croire que je suis une sorte de traître qui l'aide à faire entrer des monstres dans l'Académie ou je ne sais trop quoi!

Fletch ouvre toute grande la porte d'une salle de bains non loin de là.

— Entre là-dedans!

— *GREU.*

— Tu ne peux pas continuer à me suivre tout le temps! Regarde, dit Fletch en entrant dans la salle de bains. *ENTRE.*

Le Rogoule passe la porte en planant. Fletch bondit aussitôt à l'extérieur et referme la porte d'un coup sec. Il a le souffle court lorsqu'il tourne au coin du couloir et…

BOUM!

Fletch bute contre le directeur Brickland. Il heurte violemment le plastron de son armure et tombe. Le directeur baisse les yeux et le toise.

— Quel est votre nom, élève novice? demande-t-il d'un ton sec.

— Euh, Fletcher. Fletcher Bowman, dit celui-ci en se relevant.

— Et pourquoi donc couriez-vous dans un de mes couloirs, Fletcher Bowman?

— Je… euh, je fais simplement une petite course pour Ava. Je veux dire, professeure Ava. Enfin, professeure Prentis.

— Aaah, *Survol de la magie numérique*, dit le directeur. Très bien, allez-y. Mais modérez votre allure, jeune homme, compris?

— Oui, monsieur.

Il fait mine de s'éloigner, prévoyant attendre que Brickland s'en aille avant de récupérer le Rogoule.

— Halte! s'écrie soudain le directeur.

La gorge de Fletch se serre.

— Halte? répète-t-il.

— Oui, HALTE! Est-ce que vous sentez ça?

— Euh, non? répond-il en toute franchise.

Fletch ne sent rien du tout. Est-ce que le Rogoule a une odeur particulière? *Peut-être qu'il s'en dégage une légère odeur de catacombes*, se dit Fletch. Mais non, pourtant. Il faudrait que le directeur Brickland soit doté d'un odorat ultra-puissant pour déceler cette odeur. Il hume l'air avec méfiance.

— Ça sent comme… hum… comme Merlok. Comme *l'ancien* Merlok, quand il était de chair et de sang. Ça sent… *la magie*.

Fletch déglutit péniblement.

— Euh, eh bien… est-ce que ce serait si grave? demande-t-il au bout d'un moment.

— Si grave? gronde le directeur. De la magie dans mon Académie? Est-ce que ce serait si grave? Je sais que vous n'êtes qu'un élève de première et que vous n'y connaissez rien pour l'instant, mais *OUI*, ce serait GRAVE. La magie rend tout le monde malfaisant! Tout le monde!

— Et Merlok? demande-t-il.

Le directeur s'avance d'un pas lourd, le visage animé d'une fureur inapaisable.

— Merlok est la seule exception. La *seule*. La magie est malfaisante et terrible. Quiconque fera de la magie sera enfermé, jeté derrière les barreaux! Vous avez compris?

— Oui, monsieur, dit Fletch. Tout à fait.

— Bien, dit le directeur. Voilà. Vous aurez appris quelque chose en cette deuxième journée.

Là-dessus, le directeur s'éloigne rapidement d'un pas énergique. Fletch attend un instant, puis il ouvre la porte de la salle de bains pour faire sortir le Rogoule. Un long bout de papier hygiénique est entortillé autour de son corps qui tournoie.

Fletch grogne et secoue la tête.

— Viens, Rogoule...

* * *

Ce soir-là, Fletch et Izzy prennent le souper à la cafétéria. Celle-ci est immense et grandiose, mais pour le moment, Fletch a perdu la faculté de s'émerveiller devant l'Académie. Il est malade d'inquiétude rien que de penser à la compétition de combat du lendemain. Et il se sent encore plus nauséeux et anxieux lorsqu'il songe à ce que Brickland lui a dit au sujet de la magie qui rend mauvais.

D'habitude, Fletch a toujours faim. Jamais il ne refuse un repas, une collation, une bouchée, une tartine ou un buffet. Il mange *de tout*. Ce soir, pourtant, il joue avec sa nourriture, faisant tournoyer sa purée de pommes de terre et repoussant ses pois d'un bout à l'autre de son assiette. Izzy se penche vers lui pour lui demander ce qui ne va pas, lorsque Zilgo s'approche d'un pas nonchalant.

— Hé, Fletcher, commence-t-il. J'ai parlé avec le capitaine Clash. Je lui ai présenté mes excuses à propos de la bagarre d'aujourd'hui.

Fletch pique un morceau de jambon.

— Le professeur a dit que c'était très, *très* aimable de ma part, continue Zilgo en se penchant pour mettre en évidence son petit sourire narquois. Tellement aimable, en fait, qu'il croit qu'on devrait remettre ça, toi et moi. Nous nous battrons donc l'un contre l'autre demain, à la Combatition.

Fletch serre les dents et pique le jambon encore une fois. Si ça continue, ce sera bientôt de la purée de jambon. *Formidable. Les choses vont de mieux en mieux...* pense Fletch.

— Bonne chance, Fletcher, dit Zilgo.

Il s'éloigne avec un petit rire sonore.

Fletch se tourne vers Izzy. Il est au bord de la crise de nerfs. Izzy lui sourit et dit :

— Détends-toi, mon vieux. Ce n'est jamais aussi terrible qu'on le croit.

CHAPITRE SEPT

zzy a tort.

C'est *beaucoup, beaucoup* plus terrible encore que Fletch le croyait. Fletch est en train de se faire tabasser. Et ce triste événement se déroule devant des *milliers* de personnes.

C'est dommage, en fait, se dit Fletch. *C'est une si belle matinée.* L'arène de l'Académie brille sous les rayons du soleil ardent. Et elle est *aussi* extraordinaire qu'Izzy l'avait dit. Tôt ce matin, ils sont allés sur l'une des terrasses de l'école pour regarder la terre s'ouvrir et libérer l'arène de l'Académie. La pelouse s'est divisée le long des lignes parfaitement taillées, et l'imposante arène lumineuse s'est élevée tel un profond secret bien gardé. C'était tellement impressionnant que Fletch a eu du mal à croire que c'était *réel*.

Élèves, professeurs et robots-écuyers occupent maintenant les gradins de l'arène, en compagnie d'un petit nombre de citoyens. Fletch a du mal à comprendre qu'il y ait un tel engouement pour des combats opposant des élèves de première année. À ce qu'il paraît, depuis que Jestro et le Livre des monstres ont commencé à tourmenter le royaume, les citoyens ont démontré un *immense* intérêt pour leurs protecteurs, les chevaliers NEXO. Et ils ne manquent pas une occasion de voir leurs *futurs protecteurs* à l'œuvre!

Fletch entend la voix d'un robot-écuyer qui vend des arachides. Il aimerait bien être assis dans les gradins à se détendre et à grignoter des arachides, au lieu de se trouver au beau milieu de l'arène face à Ethan Zilgo.

Car Ethan Zilgo est en train de lui donner toute une raclée.

Le pire, c'est que les élèves doivent conserver l'arme qu'ils ont choisie la veille. Ce qui signifie que Fletch est armé d'un arc et de flèches, arc dont il ne sait toujours pas se servir. Il ne peut même pas compter sur l'aide des pouvoirs NEXO, puisqu'ils sont strictement interdits durant la Combatition. Tous les combats se déroulent à l'ancienne : *Pif! Paf! Bing! Bang! Clang!*

Fletch se demande si Zilgo accepterait de ne pas bouger pendant quelques instants. Une minute ou deux seulement, le temps que Fletch comprenne comment fonctionne son arme et qu'il décoche, pourquoi pas, une de ces flèches d'un bleu lumineux dans la direction approximative du vaurien qui lui fait face.

Cela ne risque pas d'arriver.

— Tu ne rends même pas la chose amusante! braille Zilgo en agitant sa grande épée.

Fletch réussit à lever son bouclier pour bloquer le coup, mais il tombe de tout son long.

Il prend une flèche et la tripote maladroitement. Elle tombe sur le sol de l'arène. Fletch jette un rapide coup d'œil vers le capitaine Clash dans l'espoir qu'il mette fin au combat, mais Clash ne bouge pas. Il se contente de le regarder fixement, la mine sévère. Fletch entend les murmures de pitié de la foule qui retient son souffle.

Fletch n'aime pas cela.

Il n'aime pas qu'on ait pitié de lui.

Il cherche Izzy des yeux, mais elle n'est plus là…

J'imagine qu'elle ne pouvait pas supporter de me voir me faire malmener de la sorte, pense Fletch. *Super. Encore de la pitié.*

Il tente d'échapper à Zilgo, mais il a du mal à bouger avec son armure. Il avance en titubant dans l'arène, et se sent gauche et empoté.

— Reste où tu es et laisse-moi te frapper! crie Zilgo.

Non, merci, se dit Fletch. Il ne va pas rester planté là et se laisser tabasser.

Fletch renonce à l'idée de se défendre pour l'instant. Il jette son bouclier par-dessus son épaule, ce qui lui laisse les mains libres. Il élève l'arc haute technologie dans les airs puis parvient à encocher une flèche et à tendre la corde. Ses doigts la relâchent avec un bruit sec, et la flèche bleue lumineuse vrille dans les airs.

Fletch reprend subitement confiance. Il a réussi! Il a tiré une flèche!

Mais cela ne dure pas longtemps. D'un coup d'épée rapide, Zilgo bloque la flèche. Il s'élance ensuite vers Fletch et coupe son arc en deux.

Fletch n'a plus qu'une seule flèche entre les mains. Il la fixe, bouche bée.

— Hum...

Zilgo brandit son épée à nouveau en se donnant de grands airs. On a beau dire, ça donne la frousse.

Fletch en a assez de ce petit jeu. Il s'agenouille, s'empare d'un coup sec du bouclier qu'il portait sur son dos, et l'élève bien haut dans les airs. S'il doit prendre une raclée, il peut au moins donner l'*impression* qu'il a une petite idée de la manière de se défendre.

Fletch tend le bras, solide, et se prépare à bloquer le coup. Mais ce qu'il ignore encore à cet instant, c'est qu'Izzy avait un plan, elle aussi...

Quelques minutes plus tôt, Izzy a quitté l'arène à la hâte. Elle ne pouvait pas supporter de regarder Fletch se faire humilier de la sorte. Elle devait faire *quelque chose!* Elle a couru jusqu'aux résidences, s'est glissée dans la chambre de Fletch, a salué le Rogoule (qui est retourné dans le placard désormais maintenu fermé par *trois* draps) et s'est emparée de leur tout nouveau pouvoir NEXO. L'école étant presque déserte, Izzy a pu courir jusqu'à la classe du capitaine Clash. Et là, elle a fait une chose qu'elle n'aurait clairement *pas* dû faire…

Elle a pris le pouvoir et l'a inséré dans le Novix pour que l'appareil le scanne.

Et à cet instant précis, loin de l'arène, à l'intérieur de la classe, Izzy a appuyé sur un interrupteur et téléporté le pouvoir à Fletch.

Zilgo arbore un sourire méprisant. Il tient son épée bien haut, se délectant de son sentiment de pouvoir et du regard de la foule posé sur lui.

Mais Zilgo profite du moment une seconde de trop.

Fletch lève son bouclier pour se protéger de l'attaque imminente et ce qui se produit est *inévitable* : un rayon émane du bouclier. Il se lie au système Novix dans les airs. Des pixels s'envolent, et un symbole apparaît. Mais il ne s'agit pas d'un symbole doré comme celui que Fletch a vu en classe. C'est quelque chose de différent…

Fletch a le souffle coupé en voyant d'énormes jets de lumière violette éclater dans le ciel au-dessus de lui. Une boule tourbillonnante d'énergie argentée vient frapper son bouclier et y pénètre pour lui transmettre le pouvoir. Des bandes de lumière rose et violette tournoient autour de Fletch. Une épaisse fumée noire obscurcit l'air.

Fletch éprouve un sursaut d'énergie dès l'instant où l'étrange pouvoir pénètre dans le bouclier. Il voit Zilgo le regarder, bouche bée et complètement abasourdi.

Rapidement, cette stupéfaction fait place à la colère et la rage. L'utilisation des pouvoirs NEXO lors de la Combatition est interdite, ce qui fait de Fletch un tricheur.

Zilgo gronde en montrant les dents. Il donne un coup d'épée, mais Fletch a écarté son bouclier et a brandi une flèche. Zilgo n'en croit pas ses yeux : la flèche a coupé son épée en deux!

Fletch tournoie sur lui-même. De l'électricité bleue circule dans son bouclier et sa flèche. Quand il agite la flèche de nouveau, l'électricité qui jaillit de son extrémité s'abat sur Zilgo et le repousse en arrière.

La foule *exulte*.

Fletch promène son regard autour de lui et aperçoit le capitaine Clash. Celui-ci a les yeux plissés, et c'est comme si une sorte de fureur était gravée dans les rides profondes et sombres de son visage.

Fletch comprend ce qui s'est passé. Izzy a dû aller chercher le pouvoir pour le lui envoyer. Il sait ce qu'il doit faire maintenant.

Il devrait laisser tomber le bouclier au sol et s'en éloigner. Il devrait marcher vers le directeur et *tout* lui raconter.

Mais Fletch entend les acclamations des spectateurs, et il voit Zilgo, le méchant, le cruel Zilgo, et pour la première fois de *toute sa vie*, il se sent puissant.

Le capitaine Clash se tient droit comme un i. Il jette un regard mauvais à Fletch puis esquisse un geste de la main. Un groupe de robots-écuyers s'élance vers Fletch. Ce dernier agite la flèche, et des courants d'énergie frappent les robots : ils sont aussitôt électrisés, court-circuités et brutalement repoussés.

D'autres robots-écuyers foncent vers lui, et le résultat est le même. En quelques secondes seulement, Fletch envoie valser une dizaine de robots. Ces derniers sont éparpillés dans l'arène, grésillant et jetant des étincelles.

Ethan Zilgo se relève lentement. Il a été humilié, et Fletch comprend à cet instant que Zilgo sera son ennemi pendant très, très longtemps.

Fletch balaie du regard les gradins des élèves de première année. Il voit Izzy grimper les marches à toute vitesse et retourner à son siège. Elle croise le regard de Fletch et lui adresse un grand sourire de connivence.

Et Fletch se dit que ce qu'ils ont fait est mal.

Irresponsable.

Malhonnête.

Dangereux.

Mais surtout, *génial*.

Fletch promène un regard étonné dans l'arène. La foule scande son prénom :

— Fletch! Fletch! Fletch! Fletch! Fletch!

Jamais il ne s'est senti aussi bien. Son cœur se gonfle de bonheur. Pour une fois, il a l'impression d'être *à sa place*. Mais un moment plus tard, tout s'écroule…

De l'énergie électrique jaillit au bout de la flèche. Le bras de Fletch commence à s'agiter furieusement d'un côté et de l'autre.

La flèche est comme une baguette magique servant à diriger de l'énergie destructrice.

La baguette s'anime par saccades, émettant de longues bandes de lumière ondulante. Les acclamations des spectateurs se transforment en cris de frayeur lorsqu'ils comprennent que Fletch n'a aucun contrôle sur son pouvoir. C'est comme s'il tenait un boyau d'incendie incontrôlable et qu'il ne pouvait rien faire d'autre que de s'y agripper.

Fletch constate avec effroi que l'électricité se dirige vers l'assistance. Les élèves se mettent à hurler et se ruent vers les sorties. Un éclair électrique frappe les gradins et fracasse une rangée de sièges vides.

— Au secours! crie Fletch. Je ne peux pas l'arrêter!

Tenant solidement la flèche à deux mains, Fletch réussit à l'incliner brusquement vers le bas. De puissantes décharges électriques foudroient le sol de l'arène. Des fissures en dents de scie apparaissent dans le sol roussi qui s'ouvre sous les yeux de Fletch.

Et soudain, le courant s'arrête.

Partout.

Les projecteurs de pixels s'éteignent d'abord, puis ce sont les haut-parleurs qui font un bruit aigu avant de se taire. Enfin, c'est toute l'Académie qui s'éteint, jusqu'à la dernière parcelle d'électricité.

Izzy bondit des gradins, saute sur le sol de l'arène et accourt vers Fletch, qui lutte avec la flèche.

— J'arrive! s'écrie Izzy.

L'électricité s'échappe de la flèche sous forme d'éclairs. Izzy fait un saut de côté pour esquiver l'énergie explosive. Elle se jette sur Fletch, le saisit à bras-le-corps et le plaque au sol.

La flèche glisse des mains de Fletch et tombe par terre.

Fletch se tortille pendant qu'Izzy le maintient au sol. Le pouvoir finit par faiblir, et la lueur du bouclier décline.

Fletch regarde autour de lui. Des volutes de fumée s'élèvent des gradins. Le sol de l'arène est éventré. Quelques badauds déambulent, l'air hagard, observant Fletch et Izzy avec un mélange d'incompréhension et de frayeur.

— Izzy? murmure Fletch. Qu'est-ce que tu as fait? Qu'est-ce que *j'ai* fait?

Izzy secoue lentement la tête en libérant son ami.

— Je ne pouvais tout simplement pas continuer à te regarder te faire tabasser…

Une voix retentit tout à coup.

— Enlevez votre armure! Baissez votre bouclier!

Le capitaine Clash traverse l'arène en courant, bondissant sur la terre fumante.

Le directeur Brickland n'est pas loin derrière. Ses traits sont tordus par la rage.

— Dans mon bureau. *Tout de suite!*

* * *

Fletch ne s'est jamais senti aussi mal de sa vie. Trente minutes plus tôt, des élèves et des citoyens scandaient son prénom et l'acclamaient. Et maintenant, le voilà assis devant le directeur Brickland, certain qu'il va être renvoyé de l'école.

Izzy est assise sur la chaise à côté de lui. Elle a les yeux rivés sur le plancher. Les deux amis sont même incapables d'échanger un regard. Il n'y a rien à dire.

C'est la tombée de la nuit, et il fait presque aussi noir que dans un four dans le bureau sans fenêtre du directeur. Brickland allume une bougie, puis s'assoit sur sa chaise. Il se relève aussitôt, puis se rassoit, pour enfin se lever encore une dernière fois. Il a l'air si furieux qu'il ne semble pas savoir quoi faire de sa peau. Mais Fletch remarque autre chose. Il ne semble pas seulement en colère, même si c'est ce qui saute aux yeux; le directeur paraît également *nerveux*.

— Fletcher, Isabella, je suppose que vous avez l'air plutôt effrayés en ce moment, non? demande Brickland aux deux élèves.

Avant qu'ils ne puissent répondre, le directeur rugit :

— Je ne peux pas le savoir parce que JE NE PEUX PAS VOIR VOS VISAGES! Et vous savez pourquoi?

— Vous avez perdu vos lunettes? dit Izzy.

— TRÈS DRÔLE, RICHMOND! JE NE VOIS PAS VOS VISAGES PARCE QUE VOUS AVEZ COUPÉ TOUT LE COURANT À L'ACADÉMIE ET QU'ON N'Y VOIT RIEN!

De nouveau, Brickland se laisse tomber sur sa chaise. Fletch en a maintenant la certitude : la peur se lit dans les yeux du directeur.

— Vous rendez-vous compte de ce que vous avez fait? Durant toutes mes années ici... Jamais rien vu... d'aussi épouvantable... D'aussi impardonnable.

Fletch décide de parler, mais les mots lui restent en travers de la gorge. C'est comme s'il était étranglé par un mélange de peur et de honte.

— Nous avons trouvé un pouvoir NEXO, monsieur, dit-il enfin. Nous pensions que vous en seriez heureux. Nous ignorions tous les deux que...

— Un pouvoir NEXO? répète Brickland. Vous voulez dire...

Sa voix s'estompe, ses paroles se transforment en un rire inarticulé qui inquiète Fletch.

Au même moment leur parvient un bruit de pas dans le couloir, et Ava surgit de l'obscurité. Trois robots-écuyers la suivent docilement. Ils transportent un piédestal rond en métal qui diffuse une lueur orangée.

Ava va droit au but.

— Heureusement, ce piédestal conserve sa propre alimentation de secours, dit-elle. Sinon, nous aurions perdu le contact avec lui.

— Avec *lui?* répète Fletch avant de se rappeler qu'il ferait mieux de ne pas ouvrir la bouche.

Ava lui adresse un regard compatissant.

— Lui, dit-elle, Merlok 2.0.

Fletch en perd le souffle. Il va faire la connaissance de Merlok!

Ava fait tourner un cadran sur le piédestal, et la version orangée, pixélisée de Merlok apparaît. Fletch regarde fixement le plus grand — *et unique* — magicien du royaume. Il laisserait libre cours à son enthousiasme si seulement il n'était pas aussi honteux.

Par le biais du piédestal, l'hologramme lumineux de Merlok pose les yeux sur Fletch et Izzy.

— Alors, ce sont eux. Très impressionnant. Vous avez réussi à trouver…

— Un pouvoir NEXO! s'exclame Izzy. Je ne sais pas pourquoi il a causé tant de…

Merlok l'interrompt en secouant la tête.

— Oh non, ma chère. Ce n'est pas un pouvoir NEXO. Tout le contraire. C'est un *pouvoir interdit* que vous avez trouvé. Quelque chose que je n'ai pas vu depuis de nombreuses années. Celui-ci s'appelle Voltage dévastateur.

Fletch lance un regard nerveux à Izzy. *Un pouvoir interdit?* Il n'a aucune idée de ce que c'est, mais ça ne semble pas rassurant. Surtout avec un nom comme « Voltage dévastateur ».

Fletch se penche vers Merlok qui poursuit ses explications. Il parle de magie et, durant un moment, malgré sa crainte d'être renvoyé, Fletch est fasciné.

— Il y a très longtemps, Monstrox utilisait les pouvoirs interdits dans le but de détruire le royaume. Je l'ai vaincu, bien sûr, avec un peu d'aide du Conseil des magiciens…

— Et de certains chevaliers très braves, l'interrompt Brickland.

— Les pouvoirs interdits sont des maléfices destructeurs, continue Merlok. Ils ont été déclarés illégaux par le Conseil des magiciens, puis scellés dans des tablettes de pierre par nul autre que moi. Je dois avouer que mes souvenirs à ce sujet sont plutôt confus, et encore fragmentaires, vous comprenez. Mais sachant quels dommages ils pouvaient causer, je les ai cachés un peu partout dans le royaume et j'ai placé des statues pour les surveiller.

La gorge de Fletch se serre. *Des statues. Le Rogoule!*

Brickland se lève, puis se penche en avant comme une bête qui se recroqueville sur elle-même, prête à attaquer. Il agrippe son bureau si fort que Fletch se dit qu'il va craquer.

— J'ai *combattu* les scélérats qui utilisaient les pouvoirs interdits, gronde Brickland. Ils ont fait des membres du Conseil des magiciens des êtres malfaisants, les uns après les autres. Et voilà que vous trouvez un pouvoir interdit et que vous le relâchez dans *mon* école! *Votre troisième jour de classe!*

Enragé, Brickland frappe du poing sur la table. La bougie s'éteint, et la seule lumière qui persiste provient de l'hologramme lumineux de Merlok. La voix du magicien change de ton. Il est le plus grand et le seul magicien du royaume, et il paraît *effrayé.*

— Le pouvoir, dit-il. Oh, le pouvoir…

Foudroyant Fletch du regard, Brickland entre dans le vif du sujet.

— Vous *devez* saisir la gravité de ce que vous avez fait. Il ne s'agit pas simplement de quelques jours de classe sans lumières ni écrans. Non, non. À l'exception du château du roi, cette Académie est le bâtiment le mieux protégé et le mieux armé du royaume. Et vous, vous avez *complètement démoli ce système de défense.* J'ai dû envoyer tous les écuyers de quatrième année garder les murs et patrouiller dans la cité!

Fletch a l'estomac noué. Tout à coup, il prend conscience des répercussions désastreuses de ce qu'il a fait. Il comprend pourquoi Brickland et Merlok ont si peur.

— Cette Académie accueille tous les jeunes chevaliers du pays, dit Merlok. De jeunes chevaliers que l'on entraîne à protéger le royaume. Si Monstrox venait à apprendre que l'Académie est sans défense, il pourrait tous nous détruire. Ce qui, bien sûr, serait très malheureux.

Izzy baisse la tête et serre ses coudes contre elle, rongée de remords.

Fletch a envie de disparaître aussi. Il a mal au ventre et a l'impression d'avoir une boule dans la gorge. Mais il sait à quel point ils ont mal agi, et c'est bien la moindre des choses qu'il regarde Brickland dans les yeux tandis qu'il les réprimande.

— Sommes-nous… renvoyés? finit il par demander

Le directeur se détourne.

— J'en discuterai bientôt avec le roi Halbert. Si cela ne dépendait que de moi, vous seriez déjà partis.

Fletch sent sa gorge se serrer. *Le roi! Le roi sera mis au courant de ce qu'il a fait!*

Fletch se lève lentement.

— Monsieur, c'est ma faute si nous avons trouvé ce pouvoir. Vous nous avez dit que les chevaliers devaient se soutenir entre eux. Izzy a seulement fait ce que je lui ai demandé. S'il vous plaît, ne la renvoyez pas aussi.

— Oh, comme c'est *généreux* de votre part, jeune Bowman, dit le directeur Brickland d'un ton sarcastique. Allez dans vos chambres, immédiatement. Je vous aurais bien fait escorter, mais la moitié du personnel de l'Académie s'affaire à réparer les dommages que vous avez causés.

Izzy se lève à son tour, et ils restent debout tous les deux, en silence. Ava leur adresse un sourire bienveillant, mais Fletch est trop embarrassé pour le lui rendre.

Au moment de partir, Fletch jette un regard à Merlok. Le magicien numérique le dévisage pendant un instant, les yeux rivés sur les siens. Fletch a l'impression qu'il peut lire à l'intérieur de son âme. Puis l'image de Merlok tremblote et s'évanouit...

* * *

De la honte.

Du désespoir.

C'est tout ce que Fletch ressent alors qu'il marche vers sa chambre.

Il avance péniblement dans le couloir en traînant les pieds. La terreur qui l'habite pèse si lourd qu'il a du mal à avancer.

Subitement, Izzy lui agrippe le bras. Fletch sort de sa bulle et se tourne vers son amie. Son visage est blanc comme neige. On jurerait qu'elle a vu un fantôme.

— Fletch, puisque le système de défense de l'Académie est anéanti...

— Je sais, marmonne Fletch. Monstrox pourrait attaquer. Je me sens déjà assez mal comme ça, tu n'as pas besoin de me le rappeler.

— Non. Il y a pire encore. Quelqu'un dans les catacombes *voulait* ce pouvoir. Et *nous* le lui avons enlevé. Quiconque essayait de récupérer ce pouvoir pourrait venir ici. S'il peut sentir le pouvoir, comme tu le peux aussi, il viendrait directement...

— ... dans la classe du capitaine Clash! s'exclame Fletch. Le Novix!

Tous les deux ont eu exactement la même idée. Ils devraient retourner dans leurs chambres, comme on le leur a ordonné. Ils ne sont pas des chevaliers. Ils ne sont que des enfants, déjà *complètement* dépassés par les événements.

Mais quelque chose de beaucoup plus important encore est en train de se produire. Quelque chose que *personne* ne comprend. Et ils doivent l'arrêter...

Sans ajouter un mot, ils s'élancent vers la classe du capitaine Clash.

CHAPITRE HUIT

Le cœur de Fletch bat la chamade alors qu'il court avec Izzy dans les couloirs sombres. Ils arrivent devant la classe du capitaine Clash et y entrent en trombe. Fletch s'attendait à y trouver une scène de catastrophe, mais il n'en est rien.

Il éprouve un grand soulagement en inspectant la pièce. Tout est exactement comme lors de la première journée de cours, quand Zilgo lui a flanqué une raclée.

Fletch aperçoit dans le Novix le pouvoir interdit : Voltage dévastateur. Il a encore du mal à croire que c'est un pouvoir *interdit*. Ce mot vient encore lui rappeler à quel point ce qu'ils ont fait était *mal*. La pièce est baignée d'une lueur bleue émanant de l'appareil. C'est maintenant l'unique source d'électricité dans toute l'Académie. La seule autre lumière provient de la Lune, bien visible à travers l'immense fenêtre en verre de sécurité qui parcourt un côté de la salle.

Fletch trouve étrange qu'une pièce aménagée pour le combat soit si *exposée*, mais il a lu qu'un an plus tôt, après l'attaque de Jestro et du Livre des monstres, le directeur Brickland l'a redessinée. Il trouvait important que les élèves puissent voir la ville à l'horizon, et qu'ainsi, ils n'oublient jamais la raison pour laquelle ils s'entraînent.

— Le pouvoir est toujours là, dit Izzy en s'approchant avec précaution du bouclier qui bourdonne doucement. Ava et Merlok discutent probablement de ce qu'ils vont en faire.

Fletch promène un regard nerveux autour de lui. Il n'y a pas de chevaliers ici. Même pas un élève de troisième ou quatrième année pour surveiller le pouvoir. Ils ont tous été envoyés ailleurs : certains, dans la cité, et d'autres, au pied des murs de l'Académie.

— Il faut avertir Brickland et Merlok, déclare Fletch. Je suis certain que les chevaliers-squelettes vont vouloir récupérer le pouvoir. Même si je ne suis pas sûr qu'ils puissent se rendre ici tout seuls. Ils n'ont pas l'air très brillants…

— Je parie qu'ils ne sont pas seuls, dit Izzy. Je parie qu'ils sont au service d'un ancien chevalier vêtu d'une armure noire rouillée, qui monte un Pégase squelettique en décomposition.

Pour la première fois depuis ce qui lui semble être une éternité, Fletch laisse échapper un petit rire.

— Tu as beaucoup d'imagination, Izzy.

— Ce n'est pas mon imagination. Regarde…

Fletch se tourne vers la fenêtre. Il sent une peur glaciale, paralysante, prendre naissance en haut de sa colonne vertébrale, et se propager jusqu'à ses pieds en craquant comme de la glace qui se brise en éclats.

Au début, ce n'est qu'un point survolant la cité. Puis, le point devient plus gros à mesure qu'il approche. Le Pégase agite ses ailes osseuses, et un chevalier, en armure noire rouillée, le chevauche.

Ce cauchemar volant glisse dans la nuit, puis s'élance vers eux. Il franchit les murs de l'Académie. Bien sûr, aucune alarme n'est déclenchée puisqu'il n'y a pas d'électricité pour les activer.

Le cavalier vient dans leur direction.

Pour récupérer le pouvoir interdit.

Les ailes imposantes et osseuses du coursier battent l'air, et il prend de la vitesse, fonçant à toute allure vers l'immense fenêtre. Le chevalier vêtu de noir et de rouille brandit une lance. Bien haut dans le ciel, les nuages s'écartent, et soudain, il baigne dans la lumière jaune des rayons de Lune.

La lance est irrégulière et fendue en éclats, et semble être constituée d'os.

CRAC!

Elle transperce le verre, et c'est comme si toute la pièce explosait. Izzy ne bouge pas. Elle se contente de regarder. Au dernier moment, Fletch l'empoigne et la tire vers le plancher tandis que le coursier mort-vivant et le chevalier vêtu de noir et de rouille viennent s'échouer dans la pièce avec fracas.

On dirait qu'un étrange tremblement de terre vient de secouer l'Académie. Les ailes du cheval battent deux fois, ce qui a pour effet de disperser les débris dans tous les sens. Le vent en provenance du terrain d'entraînement s'engouffre par la fenêtre brisée.

— Je suis le baron von Bludgeonous, annonce le chevalier en descendant de sa terrifiante monture.

Il jette un coup d'œil aux deux élèves.

— Et je suis venu récupérer le pouvoir.

Fletch reste figé en voyant ce personnage cauchemardesque marcher d'un pas décidé jusqu'au Novix. D'un seul et terrible coup de sa main osseuse, le baron von Bludgeonous défonce l'appareil. Il fouille à l'intérieur en arrachant des fils, et finit par en retirer le pouvoir interdit.

Il se retourne et projette sa lance sur les armures d'entraînement. L'arme faite d'os sectionne les armures, les rendant complètement inutilisables.

Fletch est debout, tremblant. Il tente de rester droit, solide et brave, mais il voit bien qu'il tremble. Il se concentre sur ses paroles, car il ne veut pas que sa voix le trahisse.

— Vous ne pouvez pas prendre ça, dit-il avec fermeté.

Le baron pivote brusquement. Il jette des regards furtifs autour de lui avant de poser les yeux sur Fletch.

Sans le vouloir, Fletch recule d'un pas. Izzy se lève et se place à côté de son ami, la tête bien haute.

Le baron von Bludgeonous traverse la pièce d'un pas pesant et bruyant, puis se dresse devant les deux élèves. Il porte la main à son casque d'acier et le soulève dans un tintement métallique. Il révèle non pas un visage humain, mais quelque chose de si horrible que Fletch en a le souffle coupé.

De petites sphères tourbillonnantes et sombres flottent dans les orbites du chevalier. Celui-ci n'a que les os, sans la peau; c'est un squelette monstrueusement gros et portant une lourde armure.

— Je sens l'odeur, siffle le chevalier mort-vivant. Je peux la sentir dans ton sang, jeune homme. *La magie.*

— Fletch n'a pas d'odeur. C'est vous qui puez! crie Izzy.

Et elle donne un coup de poing dans le plastron de fer du baron. Aussitôt, elle fait un bond en arrière. Elle se met à sautiller d'un pied sur l'autre, se tenant la main et gémissant de douleur.

La bouche osseuse du chevalier forme un sourire.

— Brave fille, dit-il. Mais toi, mon garçon, je reconnais une autre odeur sur toi. Celle de la *lâcheté*. Je n'ai rien à craindre de vous, car vous n'êtes que des enfants. Mais je me pose la question… Devrais-je me débarrasser de vous deux, pour être sûr?

— PAS UN GESTE.

Izzy et Fletch virevoltent. Le chevalier regarde en direction de la porte, et ses yeux noirs tourbillonnants virent au rouge.

C'est Brickland, armé d'une longue épée de fer.

— Laissez tomber le Voltage dévastateur et partez. Immédiatement.

Le baron von Bludgeonous ricane. On dirait le son d'un grattoir à glace en hiver. Il fait demi-tour et retourne à son coursier.

Brickland court vers le chevalier mort-vivant. Il donne un coup d'épée, mais le baron von Bludgeonous brandit le pouvoir et bloque le coup. Aussitôt, l'énergie chauffée à blanc jaillit dans une gerbe d'étincelles, illuminant la pièce. Brickland revient à la charge et procède à une série d'attaques. Mais le chevalier mort-vivant bloque tous les coups, et un bourdonnement électrique résonne dans la salle.

— Vos efforts sont vains, déclare le baron. Mais je respecte votre habileté à manier l'épée, et je vous épargnerai donc. Mais bientôt, votre heure viendra. Cette Académie sera anéantie. Le royaume s'effondrera.

Sur ces mots, le chevalier mort-vivant frappe brutalement Brickland à la poitrine d'un coup de botte. Le directeur vacille et tombe par terre. Le baron von Bludgeonous monte son coursier mort-vivant et tire sur les rênes. Le Pégase bondit par la fenêtre. Fletch regarde s'évanouir au loin la lueur du pouvoir interdit tandis que l'ennemi s'envole dans le ciel.

Une voix s'élève tout à coup :

— Aïe! Le capitaine Clash ne sera pas content de voir ce qui s'est passé dans sa classe.

C'est Ava. Elle balaie la salle du regard puis jette un coup d'œil vers Fletch et Izzy. Fletch détourne les yeux. C'en est trop pour lui.

Visiblement souffrant, Brickland aspire l'air entre ses dents en se relevant.

— Ava, demande à Merlok de rappeler tous les chevaliers à l'Académie. Aussi vite que le Fortrex peut se déplacer.

Ava acquiesce d'un signe de tête et repart à la hâte.

— Que pouvons-nous faire? demande Izzy.

En voyant l'expression de colère et de déception sur le visage de Brickland, Fletch sent ses cheveux se dresser sur sa tête.

— Vos bagages, répond le directeur.

* * *

— Tu ne peux pas partir! s'exclame Izzy.

Fletch se retourne vivement.

— As-tu vu ce qui s'est passé là-bas? As-tu vu cet horrible *monstre?* Tout le royaume est en danger, et c'est ma faute!

Izzy se laisse tomber sur la chaise derrière le bureau de Fletch. Elle tapote nerveusement la monture de ses lunettes pendant que le Rogoule plane en silence dans le placard de la chambre. Le tourbillon d'énergie bleue qui émane de la statue diffuse juste assez de lumière pour que Fletch puisse faire ses bagages.

— Mais tu possèdes un important pouvoir, Fletch, dit Izzy d'un ton insistant. Un pouvoir que je ne peux pas comprendre.

— Et un pouvoir que je n'arrive pas à maîtriser, de toute évidence, ajoute Fletch froidement.

— Mais les gens doivent savoir!

— Tu as entendu ce que Brickland a dit. La magie rend tout le monde malfaisant. Je *deviendrai* malfaisant aussi, comme tous les membres du Conseil des magiciens.

Izzy se lève promptement.

— Voilà pourquoi tu devrais rester, dit-elle en prenant la main de son ami. Confie-toi à Merlok. Il comprendra. Il peut t'aider.

Fletch contemple ses grands yeux suppliants. Et il se rend compte que c'est *elle* qui lui manquera le plus. Il a vu tant de choses au cours des derniers jours : l'impressionnante Académie, les extraordinaires armes numériques, les mystérieuses catacombes, le magicien holographique. Il a vu un monde dont il ignorait l'existence, un monde tellement plus grand, étonnant et merveilleux que tout ce qu'il aurait pu imaginer. Et pourtant, c'est Izzy la toute mini, son amie qui ne s'en laisse pas imposer, qui lui donne envie de rester.

Cependant, ce n'est pas suffisant pour lui faire prendre la mauvaise décision. Et Fletch sait que, par sa seule présence ici, il met l'Académie (et tout le royaume) en danger. La seule façon d'assurer leur sécurité est de retourner à l'orphelinat et de ne plus jamais prêter attention à *la sensation*.

Fletch jette son sac par-dessus son épaule.

— Je m'en vais, Izzy. Il le faut. Au revoir.

Il se tourne vite vers la porte pour qu'elle ne voie pas à quel point il a le cœur brisé.

CRAC!

Fletch pivote juste à temps pour voir le Rogoule défoncer le placard. La porte cède et le bois vole en éclats.

— *GREU.*

— Désolé, Rogoule. Je m'en vais.

Le Rogoule flotte vers le mur. Il fonce droit dedans, faisant trembler toute la pièce, puis il rebondit. De nouveau, il refait son petit manège.

Izzy a un hoquet de stupeur. On devine à l'expression de son visage qu'elle vient de comprendre quelque chose.

— Le Rogoule sait! s'écrie-t-elle. C'est lui qui avait le pouvoir interdit! Il doit savoir comment le récupérer!

— Alors, va le dire à Brickland.

D'un petit coup sec, Izzy tire le sac que Fletch porte sur son épaule. Le sac tombe par terre avec un bruit sourd.

— Fletch, c'est envers *toi* que le Rogoule est loyal. C'est *toi* qu'il suit. Il peut nous mener jusqu'à la tablette, jusqu'au pouvoir! Toi et moi, mon vieux, on peut sauver le monde! C'est parfait! C'est classique!

C'est tellement n'importe quoi que Fletch ne peut que secouer la tête et sourire. Sauver le monde? Izzy et lui, les deux élèves qui ont *causé* tous ces problèmes? Fletch ricane. Ils sont bien les *dernières* personnes qui devraient tenter de sauver quoi que ce soit.

— Fletch! crie Izzy. Écoute-moi! Je ne peux pas t'empêcher de quitter l'Académie. Mais tu *dois* d'abord faire ce que je te dis. Si tu pars sans avoir réglé tout ça, eh bien…

— Eh bien quoi? demande Fletch avec méfiance.

— Eh bien, il se trouve que je devrai donner raison à cette espèce d'affreux monstre chevalier qui a dit que tu étais un lâche.

Fletch a l'impression d'avoir reçu un coup de poing dans le ventre. Il ouvre la bouche, mais il ne sait pas quoi dire. Il s'est toujours demandé s'il était un lâche. D'une certaine manière, dans les recoins de son esprit, il s'est toujours senti comme tel. Et voilà que son amie, sa seule amie, vient de le confirmer. Tout haut! Il y a toujours la possibilité qu'elle ait dit ça pour le fouetter.

Fletch se renfrogne.

— Très bien. Allons-y. Vite.

— Encore une chose, dit Izzy. Je *refuse* de partir avec toi pour cette grande mission de sauvetage du royaume si tu as l'intention d'être tout le temps de mauvais poil.

Fletch croise les bras et se tient raide.

— Je n'y peux rien. C'est…

Izzy l'interrompt en lui enfonçant un doigt dans les côtes. Fletch essaie de résister, mais il se met à rire.

— D'accord, d'accord! dit-il en levant les bras. Allez, ma vieille. Allons sauver le monde. Toi aussi, Rogoule.

Izzy affiche un large sourire.

— Voilà qui est mieux.

Izzy et le Rogoule suivent Fletch hors de la chambre, prêts à stopper le baron von Bludgeonous, à récupérer le pouvoir interdit et à sauver le royaume.

Le couloir est calme et silencieux. Le couvre-feu est en vigueur, mais même si ce n'était pas le cas, le directeur Brickland a sûrement informé tous les élèves de ne pas quitter leur chambre jusqu'à ce que l'électricité et la sécurité soient rétablies.

— Il nous faut des armes! murmure Izzy tandis qu'ils avancent sans bruit dans le couloir. On ne peut pas affronter cet énorme et immonde baron von Bludgeonous sans armes.

— Lesquelles? demande Fletch. Bludgeonous a détruit les armures d'entraînement, et je n'ai aucune idée de l'endroit où en trouver une vraie. Et toi, Rogoule, tu as une idée?

— *GREU.*

— Bien sûr.

Soudain, Izzy paraît toute ragaillardie. Fletch sait qu'elle doit avoir une idée en tête.

— Il nous faut une arme ayant appartenu au plus grand chevalier de l'âge d'or. Une arme ayant appartenu à un chevalier qui représentait tout ce qu'il y a de bon. Il nous faut... la précieuse épée d'argent de Ned Knightley!

— Tu crois que c'est important? demande Fletch. Que l'arme soit vieille et antique et qu'elle ait appartenu à un type bien?

Izzy hausse les épaules.

— Probablement pas, mais je ne sais pas quelle autre arme nous pourrions emprunter. Allons à la salle des chevaliers!

Malheureusement, comme Izzy et Fletch le constatent, la salle des chevaliers n'est pas déserte. En tournant le coin du couloir, ils voient quelqu'un debout devant le piédestal où est

maintenant exposée la précieuse épée d'argent de Ned
Knightley.

Fletch gémit. C'est bien la *dernière* personne qu'il a envie de
voir. Il aurait préféré tomber sur Brickland!

— C'est Zilgo! souffle Izzy en lui jetant un regard mauvais.
Il admire son trophée. Il l'a trouvé il y a quoi... deux jours?
Pffft!

Fletch sait qu'ils ont besoin de cette épée. Izzy a raison.
Jamais ils ne pourraient se présenter devant le baron von
Bludgeonous sans être armés.

— Essayons de lui parler, dit Fletch. Peut-être qu'il
comprendra.

Il ordonne au Rogoule de ne pas bouger. Izzy et lui traversent
ensuite la salle. Les sculptures des braves chevaliers anciens
se dressent devant eux. Fletch a l'impression qu'elles

l'observent, qu'elles le jugent, se demandant s'il a les qualités d'un futur chevalier.

Zilgo se retourne brusquement en entendant le bruit de leurs pas.

— Encore vous! dit-il. Vous n'avez pas eu votre leçon?

— Qu'est-ce que tu fais ici? demande Izzy.

— J'admire l'épée.

— Eh bien, la contemplation est terminée, annonce Izzy. Nous emportons cette épée. Alors, descends de là.

Zilgo les regarde d'un air suffisant.

— Quoi? Vous l'emportez en souvenir? C'est un cadeau d'adieu? L'Académie, c'est terminé pour vous. Tout le monde le sait.

Zilgo ouvre les mains et s'avance vers eux.

— Izzy, Izzy, Izzy... Tu n'aurais jamais dû faire équipe avec cet *orphelin*. Toi et moi, Richmond, on aurait fait toute une équipe.

Izzy est sur le point de dire quelque chose, mais Fletch fait un pas en avant, bouillant de rage.

— Zilgo, on n'a pas le temps d'écouter tes bêtises! Ôte-toi de là.

— Un pas de plus, *Fletcher*, et je raconte à Brickland que tu m'as attaqué.

Fletch recule. Il n'a jamais gagné en se battant. Il n'aime pas se battre. Il est plutôt un penseur. Il lève le bras et serre le poing.

— Qu'est-ce que c'est que ça? Un mouvement de danse de raté? demande Zilgo avec un petit sourire narquois.

Mais quelques secondes plus tard, son sourire disparaît et fait place à une expression terrifiée. Le Rogoule est entré et traverse la salle à toute allure. Il passe en trombe devant Fletch et Izzy, et s'arrête en tournoyant juste devant Zilgo.

La statue se penche, se dressant menaçante devant lui, son visage de pierre touchant presque le front du garçon. Zilgo se met à balbutier :

— Qu-qu-que...

— Zilgo, je te présente mon ami, le Rogoule, dit Fletch en avançant d'un pas assuré. Le Rogoule aimerait bien que nous puissions emprunter l'épée. Tu veux bien, dis? S'il te plaît?

— Et tu ferais mieux de n'en parler à personne, ajoute Izzy. Tu ne voudrais pas te réveiller et voir ce gros bonhomme dans ta chambre, n'est-ce pas?

Effrayé, Zilgo fait quelques pas en arrière. Ses yeux se posent tour à tour sur Fletch, sur Izzy, sur le Rogoule, et de nouveau sur Fletch. Puis il déguerpit et pique un sprint dans la salle. Il trébuche, fonce presque dans une sculpture, retrouve l'équilibre et jette un dernier coup d'œil terrifié au Rogoule. L'instant d'après, il a disparu.

Izzy sourit à Fletch, puis retire aussitôt l'épée de son piédestal. Un moment plus tard, les deux amis ouvrent le passage secret et descendent à nouveau dans les catacombes.

CHAPITRE NEUF

Fletch et Izzy courent à toutes jambes dans les catacombes pour tenter de suivre le Rogoule, mais l'étrange statue bat des records de vitesse et *vole* presque. C'est comme s'ils avaient remonté le mécanisme d'un jouet qu'ils n'arrivaient plus à arrêter.

— On ne pourra jamais le suivre à cette vitesse-là! s'écrie Izzy.

— Rogoule! hurle Fletch. Ralentis!

Le Rogoule fait halte. Tout à coup, il revient vers eux en planant.

— *GREU.*

— Qu'est-ce qu'il raconte maintenant? se demande Izzy.

Le Rogoule monte et descend, monte et descend, comme s'il voulait attirer leur attention sur quelque chose.

— Regarde, dit Izzy en indiquant quelque chose du doigt.

À l'arrière du corps du Rogoule, deux des pierres ont cessé de tournoyer. Elles s'avancent, flottant sur place.

Fletch s'agenouille pour les examiner de plus près.

— Ce sont des appuis pour les pieds. Des repose-pieds flottants, comme ceux d'un vélo! s'exclame-t-il avec enthousiasme.

Fletch pose un pied sur une pierre et se hisse sur le Rogoule en s'agrippant à son dos. La statue émet un vague grognement, puis Izzy grimpe à son tour. Et les voilà partis. Les cheveux de Fletch volent dans tous les sens, et les boucles blondes d'Izzy flottent derrière elle tandis que le Rogoule traverse les tunnels des catacombes à la vitesse d'un holorail.

Le cerveau de pierre du Rogoule sait où aller; il prend chaque tournant, chaque virage, chaque fourche des longues catacombes comme un bolide, sans jamais ralentir. Le Rogoule passe en coup de vent dans les toiles d'araignée. Les rats détalent lorsque le trio passe à toute vitesse au-dessus d'eux.

— Il est comme notre assistant de navigation personnel! lance Izzy avant de refermer aussitôt la bouche.

Elle a failli avaler une bestiole. Beurk!

Fletch est tout sourire. L'euphorie causée par les tours et les détours effectués à vitesse grand V se mêle au sentiment de magie au creux de son ventre. Pendant un bref instant, il oublie tous les dangers et se contente de profiter de la balade.

— Quelle distance a-t-on parcourue, d'après toi? crie Izzy.

— Des kilomètres et des kilomètres! répond Fletch.

Et puis, sans avertissement, le Rogoule s'arrête subitement. Fletch et Izzy heurtent le dos du Rogoule et rebondissent, avant de dégringoler sur le sol humide.

Fletch s'assoit en se frottant le nez.

— Rogoule, mon ami, il va falloir t'apprendre à ralentir...

Izzy repère une échelle semblable à celle qu'ils ont utilisée pour entrer dans les catacombes. Fletch commence à monter, et Izzy le suit. Elle s'assure d'avoir encore la précieuse épée d'argent de Ned Knightley.

Lorsque Fletch atteint le sommet de l'échelle, il s'attend à ce qu'une sorte de sceau magique se brise au-dessus de lui. Mais il n'y a pas de sceau magique, pas de grille ni de plaque d'égout tout en haut. Rien que des briques.

Fletch les pousse et les sent bouger, mais très légèrement. Izzy s'arc-boute contre le puits et, à deux, ils arrivent à soulever les lourdes briques.

Fletch grimpe rapidement et se tourne pour aider Izzy, mais constate qu'elle s'est déjà hissée hors du puits. Le Rogoule les rejoint, sortant du trou en planant.

Après avoir replacé les briques, ils découvrent qu'ils sont dans une rue de Knightonia. La lune est la seule source de lumière. La ville est silencieuse. Fletch se doute que tout le monde a préféré rester à l'intérieur après avoir appris que Knightonia était menacée. Encore une fois, il se sent stupide. Toute la ville est fermée à cause de ce qu'il a fait.

— Et maintenant? demande Izzy.

Au moment où elle prononce ces mots, le Rogoule commence à se déplacer lentement. Fletch et Izzy le suivent. Lorsqu'ils arrivent au coin de la rue, Fletch sent tout de suite son estomac se nouer. Ils se rapprochent du pouvoir interdit...

Le Rogoule lève un bras et désigne un vieux manoir qui tombe en ruine. Les bâtiments aux alentours sont délabrés et semblent abandonnés. Le manoir est plus sombre que tout le reste, ce qui lui donne une allure menaçante. Une haute muraille de briques l'entoure et est recouverte d'une étrange plante grimpante rouge comme Fletch n'en a jamais vu.

— Des ronces, dit Izzy. Coupantes comme des lames de rasoir, pour éloigner les intrus.

Quel type de manoir a tant besoin d'éloigner les intrus? se demande Fletch. Il trouve rapidement la réponse : le type de manoir dans lequel ils doivent entrer sans être vus. Le type de manoir qui abrite un personnage infâme comme le baron von Bludgeonous.

Il paraît impénétrable. Impossible d'escalader ses murs. Fletch et Izzy en font le tour, cherchant une façon d'y entrer, mais sans succès. Il y a bien une porte à l'avant, mais une dizaine de gardes squelettiques la surveillent, leurs corps osseux camouflés sous de longues capes.

Fletch retourne inspecter le mur arrière et pose sa main sur les briques fraîches.

— La seule façon d'entrer est de franchir ce mur... ou de passer au travers.

— *AU TRAVERS.*

Fletch virevolte. A-t-il bien entendu? Le Rogoule a-t-il parlé? Fletch ouvre la bouche pour exprimer sa surprise quand tout à coup…

PONK!

Les briques se fracassent lorsque le Rogoule enfonce son poing dans le mur. D'un seul coup, il a fait un trou suffisamment grand pour laisser passer une personne.

— Je crois qu'on a trouvé notre entrée, dit Izzy avec un haussement d'épaules joyeux.

— Mais on n'était pas censés faire de bruit! dit Fletch. Le baron von Bludgeonous et ses gardes ne doivent pas savoir que nous sommes là!

— Alors on ferait mieux d'y aller tout de suite, dit Izzy en se glissant dans l'ouverture.

Fletch la suit, et le Rogoule suit Fletch, naturellement. Une fois sur le vaste terrain qui entoure le manoir, Fletch est envahi d'une grande tristesse. L'endroit tout entier dégage une impression de désolation. Le gazon jauni et sans vie craque sous leurs pas. Des arbres s'élèvent ici et là dans la cour, mais ils sont pâles et pourris, avec de longues branches grises.

Devant eux se trouve le manoir. Il semble appartenir à une autre époque, comme s'il avait été transplanté là, arraché à un autre monde ou royaume. Le manoir comprend deux ailes différentes. La première compte deux étages tandis que la seconde est beaucoup plus haute. Au coin de cette dernière s'élève une immense flèche ronde. À son sommet, on aperçoit une unique fenêtre par laquelle on peut voir danser des couleurs. C'est l'unique source de lumière émanant du manoir.

Izzy siffle en contemplant la scène.

— Cet endroit aurait bien besoin d'un jardinier, dit-elle. Et d'un peintre. Et franchement, d'un bon ménage.

— Hé, souffle Fletch. Tu as entendu ça?

— Oui, répond Izzy en dégainant la précieuse épée d'argent de Ned Knightley. Voilà les méchants qui s'amènent.

Fletch entend un chevalier grogner :

— Je crois que le bruit venait de là-bas!

Trois chevaliers traversent le terrain en courant, et soudain l'éclat de l'argent brille dans le noir. Izzy a donné un coup d'épée. Le premier chevalier se transforme presque instantanément en un petit tas d'os.

Izzy donne deux autres coups d'épée, et deux autres chevaliers-squelettes tombent au combat.

— Il s'en est fallu de peu, dit Fletch.

Il se tourne vers le Rogoule.

— *Tu dois rester ici*, d'accord? *Reste. Ici.* Tu comprends?

Rien chez la statue ne laisse croire qu'elle a compris.

Fletch pousse un gémissement, prend la main du Rogoule et le conduit derrière un arbre énorme.

— Ici, d'accord. Reste. Ici. Derrière cet arbre.

Fletch recule d'un pas, et le Rogoule le suit.

— NON! aboie Fletch. *Tu ne peux pas venir!* Tu as déjà éveillé l'attention des gardes une fois!

Le Rogoule baisse la tête. Fletch fait un autre pas en arrière et, cette fois, le Rogoule ne bouge pas.

— Je crois que tu lui as fait de la peine, dit Izzy alors qu'ils marchent à pas de loup dans les broussailles mortes.

Fletch n'a pas le temps de se préoccuper des états d'âme du Rogoule. Il est trop occupé à se demander si le baron von Bludgeonous sait qu'ils sont là…

— Comment allons-nous retrouver le pouvoir? chuchote Izzy.

— Je peux encore sentir sa présence, comme avant, dit Fletch. Mais je ne sais pas comment entrer.

Les murs abîmés du manoir sont parsemés de trous et de fissures, mais ils sont trop petits pour que quelqu'un puisse s'y faufiler. La noirceur semble s'en échapper. Au coin du manoir, ils reconnaissent le Pégase mort-vivant du baron von Bludgeonous. Il est attaché dans une écurie décrépite.

— Allons plutôt par là, dit Izzy en se détournant du cheval ailé qui lui donne froid dans le dos.

— On pourrait passer par le toit! dit Fletch tout à coup. Peut-être qu'on trouvera une fenêtre une fois en haut.

Des mousses et des lianes mortes enchevêtrées recouvrent un côté du manoir. Fletch grimpe le mur avec facilité. Il a souvent escaladé les falaises rocheuses à Salt City, et ça revient à peu près au même.

Izzy, en revanche, n'a pas souvent grimpé les murs de son chic manoir d'Auremville. Lorsqu'elle finit par se hisser sur le toit avec difficulté, la précieuse épée d'argent de Ned Knightley glisse de sa ceinture et tombe dans l'herbe en bas.

— L'épée! s'écrie-t-elle.

Fletch se penche au bord du toit. Un autre groupe de chevaliers-squelettes tourne au coin du manoir.

— On va devoir s'en passer, dit Fletch.

Avançant sans bruit, ils notent que le toit est parsemé de trous et de brèches. De petites flaques d'eau stagnante se sont formées lors de la dernière pluie. Un peu plus loin, l'eau s'infiltre dans le toit. Fletch se dit qu'après tout, ce n'est pas comme si le baron von Bludgeonous était une créature *vivante* qui devait se préoccuper de choses comme la chaleur, la pluie ou les problèmes de moisissures.

Du bruit leur parvient de quelque part vers le centre du manoir. Fletch et Izzy s'approchent en rampant. Le toit craque sous leurs poids. Bientôt, ils ont vue sur le deuxième étage de la maison. Et soudain, ils l'aperçoivent : le pouvoir interdit.

Il est au milieu d'une longue pièce. Autrefois, ce devait être un grand salon ou quelque chose du genre, pense Fletch, mais aujourd'hui, on dirait plutôt une salle du trône. Un long tapis rouge sang s'étend sur le plancher au-dessous d'eux. Ils ne peuvent pas voir toute la pièce, mais au centre, directement sous eux, se trouve le pouvoir.

Une vingtaine de chevaliers-squelettes occupent la pièce. De temps en temps, l'un d'eux s'avance tranquillement et examine la tablette avec curiosité. C'est alors que... *ZAP!* Le chevalier reçoit une décharge et recule en titubant.

— Vraiment pas très brillants, ces chevaliers, dit Izzy tout bas.

Fletch fait non de la tête.

— Ça non! Mais le baron von Bludgeonous semble l'être, lui, et je ne le vois nulle part…

Izzy se penche en avant pour mieux voir.

— Attention! murmure Fletch.

— C'est bon, c'est bon! dit Izzy.

Mais... *CRIIIIC!*

Izzy fronce les sourcils d'un air inquiet.

— Fletch, dit-elle, je suis vraiment désolée.

— De quoi? demande Fletch.

Mais il n'obtient pas de réponse, car le toit… s'effondre. *CRAC!* La vieille structure en bois a cédé sous leur poids, et Fletch et Izzy déboulent dans le manoir.

Ils tombent comme une masse sur le sol. Quand ils se redressent pour frotter leurs blessures, ils sont entourés de chevaliers-squelettes.

Une voix grince :

— Nous avons des invités…

Fletch et Izzy se retournent et voient le baron von Bludgeonous assis sur son trône.

— C'est un trône d'os? chuchote Izzy. Dis-moi que c'est un trône d'os.

Le baron von Bludgeonous glousse.

— Oh, oui! Bon. Vous pouvez bien dire ce que vous voulez, mais dites-le tout de suite. Car après ce soir, vous ne direz plus jamais rien…

Il se lève de son trône d'os.

— Bienvenue dans mon château.

Fletch et Izzy se lèvent. Des débris du toit sont éparpillés à leurs pieds. Fletch jette un regard mauvais au baron.

— Ce n'est pas un château, commence-t-il. Ce n'est qu'une vieille maison qui tombe en ruine.

Le baron von Bludgeonous s'avance vers Fletch. Son pas est lourd et appuyé. Il lui lance un regard mauvais, révélant de vieilles canines ébréchées.

— Pourquoi? parvient à demander Fletch. Pourquoi avez-vous pris le pouvoir?

— Laissez-moi *vous* poser une question, dit le baron. Pourquoi fréquentez-vous l'Académie?

— Pour devenir chevaliers, répond fièrement Izzy.

— Afin de combattre le grand ennemi qu'est Monstrox, ajoute le baron. Est-ce exact?

— Et alors? lâche Izzy d'un ton sec.

Le baron von Bludgeonous émet un ricanement répugnant, comme si sa gorge était incapable de produire un rire normal.

— Vous en avez de la chance, continue-t-il. Votre ennemi ne renonce pas. Moi, j'ai dû me *trouver* un adversaire. Voyez-vous, j'étais un chevalier, comme vous espérez le devenir. Mais c'était il y a très longtemps, durant des temps paisibles, avant ces stupides pouvoirs NEXO.

— L'âge d'or, dit Izzy.

Le baron von Bludgeonous s'esclaffe. Cette fois, on dirait qu'il est en train de s'étouffer.

— L'âge d'or? D'or? C'est comme ça qu'on l'appelle à votre école? C'était la *pire* époque pour être chevalier.

Le baron von Bludgeonous tend la main et l'ouvre, comme s'il dévoilait un objet caché, mais elle est vide, et il la referme brusquement.

— Nous n'avions aucun ennemi! Et pas d'ennemi signifie pas de combat, pas de quête, et pas de *gloire*. Tout ce qui fait d'un chevalier un *vrai* chevalier.

Fletch n'arrive pas à comprendre.

— Vous auriez préféré vous battre plutôt que de voir les gens vivre heureux et en paix?

Un sourire cruel et tordu se dessine sur le visage du baron von Bludgeonous.

— Voilà que tu commences à saisir. J'ai quitté Knightonia, en quête de combat et de gloire. Mais je suis tombé sur Monstrox à la place. J'ai volontiers joint son armée. J'ai combattu la famille Halbert, le Conseil des magiciens et les grands chevaliers. Puis j'ai découvert quelque chose de plus puissant encore que Monstrox...

Le cœur de Fletch bat fort dans sa poitrine.

— Vous voulez dire...?

— *Les pouvoirs interdits!* déclare le baron von Bludgeonous. Et avec eux venait la mort éternelle. J'existerai ainsi, *mort* sans l'être vraiment, *pour toujours.*

Fletch frissonne. Le baron von Bludgeonous répand le souffle froid de l'inconnu. Mais Fletch perçoit autre chose à l'intérieur du sinistre personnage. Le manque. Le désir. *La soif.* Et tout à coup, il comprend.

— Mais pour rester en vie… ou plutôt, rester *mort-vivant*, il vous faut d'autres pouvoirs interdits, n'est-ce pas? demande Fletch. Et c'est pourquoi vous vous êtes lancés à la recherche de celui-ci.

Le baron von Bludgeonous hoche la tête.

— Tu as l'esprit vif. Oui. Et maintenant que je l'ai, je vais m'en servir pour mettre mon plan à exécution. La corruption! Le déclin! Je vais plonger tout le royaume dans les ténèbres, et ensuite je prendrai ce qui me revient de droit.

— Ce qui vous revient de droit? répète Izzy.

— En effet, gronde le baron. Je prendrai la place qui me revient et deviendrai roi! Je remplacerai ce vieil imbécile d'Halbert. Et je régnerai sur le royaume des morts-vivants.

Un lourd silence s'abat sur la pièce, finalement rompu par les applaudissements des chevaliers-squelettes.

— Excellent plan, B! lance l'un d'eux.

— C'est vous le patron! crie un autre.

— Ne nous faites pas de mal, je vous en prie! ajoute un troisième.

L'air furieux, le baron von Bludgeonous dévisage les chevaliers pendant un instant. Puis son affreux regard vient se poser sur Fletch et Izzy.

— Veuillez excuser mes serviteurs. Ils ne sont pas particulièrement malins. Voilà le problème avec les chevaliers-squelettes : il leur manque une cervelle.

— On avait remarqué, dit Izzy.

— Mais toi, mon garçon, il ne te manque rien du tout, dit le baron von Bludgeonous en s'approchant de Fletch à pas de loup. Au contraire. Tu as découvert le pouvoir alors que toute mon armée de chevaliers a parcouru le pays sans voir quoi que ce soit. Toi, simple élève de première année, tu l'as trouvé on ne sait trop comment.

Fletch se met à trembler.

— C'était un simple accident, dit-il.

Le baron von Bludgeonous laisse échapper un petit rire.

— Un accident? Et c'est aussi par accident que tu as trouvé mon château?

— Manoir, le corrige Izzy. Maison. Abri. Cabane. Ce n'est *pas* un château.

Le baron ne lui prête aucune attention.

— Fletch, mon garçon, je crois que tu pourrais m'être encore utile. Il existe d'autres pouvoirs interdits, et tu pourrais m'aider à les trouver.

Bon. Très bien, se dit Fletch. *N'importe quoi pour gagner du temps et trouver un moyen de nous sortir d'ici.*

Le baron von Bludgeonous pivote brusquement et retourne vers son trône.

— Chevaliers! Emmenez-les au donjon! ordonne-t-il. Enfermez-les et surveillez-les bien. Je veux mettre toutes les chances de mon côté!

CHAPITRE DIX

'est bien vrai. Le baron von Bludgeonous a fait de cette vieille maison son propre château. Et, c'est bien vrai aussi, Fletch et Izzy sont en route pour le donjon.

Les chevaliers-squelettes les poussent en avant dans l'escalier, où flotte une odeur de moisi et d'humidité.

— Le Rogoule pourrait nous aider, marmonne Fletch tandis qu'un gardien lui donne un petit coup dans le dos. On aurait *vraiment* besoin d'une énorme statue qui sait se servir de ses poings.

— Tu n'aurais pas dû le gronder, dit Izzy. Tu l'as rendu tout triste.

Ils arrivent au bas de l'escalier et entrent dans le donjon. Les chevaliers les poussent avec leurs épées pour les inciter à avancer.

— Ça va, ça va! lâche Izzy. Ne poussez pas!

Autrefois un simple sous-sol, la pièce a maintenant tout d'un donjon médiéval comme ceux qui existaient avant l'arrivée de la technologie à Knightonia. Des cellules vides s'alignent d'un côté du donjon.

— *À l'intérieeeuuuur*, dit le chevalier en chef d'une voix traînante en les poussant vers une cellule ouverte.

Fletch et Izzy y entrent à contrecœur. Un grand fracas métallique résonne lorsque le chevalier referme brutalement la porte. Fletch regarde le chevalier en chef verrouiller la porte et accrocher le trousseau de clés à l'os de sa hanche.

Des armes anciennes, datant de l'époque *d'avant* les pouvoirs NEXO, sont accrochées à un mur derrière les chevaliers-squelettes : des massues en fer, des haches en bronze, des épées en acier ainsi qu'un arc et des flèches. Elles sont couvertes de toiles d'araignée. Fletch fixe les armes du regard : elles sont à la fois si près et si loin.

Bien au-dessus de Fletch et Izzy se trouve une petite fenêtre étroite donnant sur la cour arrière du manoir. La fenêtre est munie de gros barreaux. Le pied de Fletch trouve un appui dans le mur de briques, et Fletch saute vers la fenêtre, agrippant les barreaux et se hissant pour regarder dehors.

Il plisse les yeux dans l'espoir d'apercevoir le Rogoule, mais il perd pied et retombe sur le plancher de la cellule.

Fletch se redresse, enlève la poussière sur ses vêtements et s'assoit à côté d'Izzy. Tous deux ramènent les genoux vers leur poitrine, le dos plaqué au mur.

Ils échangent un regard sombre. Nul besoin de parler, l'expression de leur visage dit tout : ils sont vaincus.

Ils sont loin de l'Académie. Personne ne sait où ils se trouvent. Et, pire que tout, le pouvoir interdit est entre les mains du baron von Bludgeonous.

— Je regrette tellement d'avoir laissé tomber l'épée, dit Izzy dans un gros soupir. J'en aurais bien besoin en ce moment. De ça, ou d'une massue, d'une hache ou d'une étoile du matin. *N'importe quoi!*

— Et moi, je regrette tellement d'avoir fait de la peine au Rogoule, dit Fletch. Moi aussi, j'aurais bien besoin de lui en ce moment…

Un courant d'air froid s'engouffre entre les barreaux, et Fletch entoure ses genoux de ses bras. Izzy fourre ses mains dans ses poches. Un instant plus tard, elle en sort une photo.

Un petit sourire nostalgique apparaît sur le visage de Fletch. Il s'agit d'une photo autographiée du frère d'Izzy, Lance. C'est le cadeau qu'il offrait aux élèves le matin où il a déposé Izzy à l'Académie. C'était il y a quelques jours à peine, mais Fletch a l'impression que c'était il y a une éternité. Sa chute en descendant du train. Sa rencontre avec Izzy.

Izzy baisse la tête et, de nouveau, pousse un long soupir.

— Mon frère est un casse-pieds et une diva, dit-elle d'une voix douce. Mais au moins, c'est un *vrai chevalier*. Moi, je ne suis qu'une usurpatrice. Un chevalier bidon

Fletch hausse un sourcil.

— Hé, Izzy, depuis combien de temps les hommes et les femmes de ta famille sont-ils de célèbres chevaliers?

Izzy hausse les épaules.

— Depuis longtemps. Très longtemps.

Fletch lui décoche un grand sourire, lui arrache la photo des mains et bondit sur ses pieds.

— Hum, hum! Excusez-moi! lance Fletch. Gardien! *Chevalier-squelette en chef!*

Ce dernier tourne la tête.

— *Sileeence!*

— Mais oui, mais oui, silence. Dans une minute. Vous voyez mon amie juste là? C'est une *Richmond*.

— Fletch, dit Izzy, qu'est-ce que ça peut bien lui faire? Ce n'est qu'un nom. Ça ne veut rien dire

— Ce sont des chevaliers, murmure Fletch. Bon, je sais qu'ils ne sont plus que des paquets d'os. Mais autrefois, ils *étaient* chevaliers.

Le chevalier-squelette en chef fixe Fletch, le regard vide. Ses yeux creux ne révèlent rien du tout.

— *Rich-mond*, répète Fletch.

Toujours rien.

Fletch ne se laisse pas décourager et lui montre la photo.

— Regardez, c'est *Lance Richmond*. Le plus célèbre chevalier du pays.

Tout à coup, le gardien se penche en avant. Au fond de ses orbites noires, Fletch décèle une parcelle de conscience.

Un autre chevalier s'anime :

— Lance! Animateur télé! Célèbre!

— Et cette photo est *autographiée*, ajoute Fletch en tapotant la photo. Génial, non? Venez jeter un coup d'œil!

Les chevaliers se précipitent vers la cellule, mais leur chef lève une main osseuse, et ils s'arrêtent tous. Le chevalier en chef fait un autre pas en avant. Le trousseau cliquette contre l'os de sa hanche.

Fletch glisse la photo entre les barreaux, comme s'il essayait de nourrir un petit animal farouche.

— Venez, c'est pour vous.

Izzy s'approche discrètement des barreaux. Elle regarde le chevalier tendre le bras pour prendre la photo.

Elle échange un bref regard avec Fletch, les sourcils levés. Ont-ils eu la même idée? Fletch hoche la tête. Il semble que oui.

Izzy avance d'un autre pas. Et juste au moment où le chevalier en chef saisit la photo, elle agrippe l'arrière de son crâne.

— Je t'ai eu!

BANG!

Elle tire le chevalier vers elle et lui frappe le crâne contre les barreaux. Au même instant, Fletch passe une main entre les barreaux et s'empare du trousseau de clés.

— Je l'ai! dit-il.

Il glisse aussitôt la clé dans la serrure et la tourne. Les chevaliers accourent vers la cellule.

— Je m'en occupe, dit Izzy en poussant Fletch du coude pour qu'il s'éloigne.

Elle donne un puissant coup de pied dans les barreaux, et la porte de la cellule s'ouvre violemment. Une dizaine de chevaliers la heurtent de plein fouet et tombent à la renverse, formant bientôt un nouveau tas d'os.

Mais il y a encore beaucoup, beaucoup d'autres chevaliers.

— À la charge! crie Izzy.

Elle sort de la cellule à toute vitesse, court vers le mur, tend le bras vers la massue, la saisit et…

ZAP!

La massue tombe par terre avec un bruit métallique, et Izzy est propulsée comme une fusée à l'autre bout de la pièce. Ses cheveux se dressent bien droit sur sa tête, chargés d'électricité.

— Ah, bon sang! Pas encore! dit-elle d'une voix engourdie.

De la cellule, Fletch s'écrie :

— Qu'est-ce qui s'est passé?

— Les armes doivent capter l'énergie du pouvoir interdit, répond Izzy. Je ne peux pas m'en servir!

La gorge de Fletch se serre. Il secoue la tête.

— Mais je ne peux pas me battre! Tu le sais!

Esquivant le coup d'épée d'un chevalier-squelette, Izzy s'écrie :

— Tu dois le faire!

Fletch voit quatre chevaliers se précipiter vers Izzy, et il se rend compte qu'il n'a pas le choix.

— Dans la cellule! dit Fletch.

— Encore? gémit Izzy.

— Encore!

— Zut! Je rate toujours le plus excitant! rouspète-t-elle.

Fletch sort de la cellule à toute vitesse alors qu'Izzy s'y réfugie. Elle referme brutalement la porte au moment où quatre chevaliers viennent se fracasser contre les barreaux. La lame d'une épée glisse vers elle dans la cellule. Izzy fait un saut de côté pour l'éviter, puis met le verrou.

Elle se demande si elle doit se sentir soulagée ou irritée de se retrouver, pour la deuxième fois en deux minutes, enfermée dans une cage.

Fletch passe en courant en évitant la main tendue et osseuse d'un chevalier, et bondit vers le mur. Il s'empare d'une épée et se sent tout de suite comme un héros, mais l'épée tombe aussitôt par terre avec un bruit sourd, l'entraînant dans sa chute.

— Aïe! dit Fletch en gémissant. Ce qu'elle est lourde! Je crois que je me suis fait mal dans le dos…

— Prends quelque chose de plus léger! dit Izzy.

Une flèche repose toute seule sur le plancher. *Une flèche,* pense Fletch. *Encore?*

Il la ramasse, n'ayant pas vraiment d'autre choix. Aussitôt, il a des picotements dans la main. Il sent l'énergie circuler en lui. Un sourire amusé apparaît sur son visage, et une impression de calme s'empare de lui. Il se sent maître de lui-même lorsqu'il brandit la flèche chargée d'énergie.

C'est bien différent de l'expérience qu'il a vécue à la Combatition, alors qu'il affrontait Zilgo. Cette fois, il ne *pense* pas au combat. Il se bat, tout simplement. Il suit son instinct, sa *sensation.* Et chaque fois qu'il brandit sa flèche, un chevalier se décompose en petit tas osseux.

Izzy regarde avec stupéfaction son ami qui se bat, mais pendant un instant seulement. Elle doit faire *quelque chose.* Elle ramasse une pierre par terre et grimpe tant bien que mal

jusqu'à la fenêtre. Dehors, elle aperçoit le Rogoule qui attend toujours derrière l'arbre.

— Viens ici! crie-t-elle.

Lentement, le Rogoule s'éloigne de l'arbre.

— Viens ici! répète-t-elle.

Le Rogoule fait non de la tête.

— Fletch a besoin de toi!

Soudain, Izzy écarquille les yeux. Le Rogoule vient de s'écrouler. Il s'est effondré, comme ça!

Izzy a le souffle coupé.

— Mais qu'est-ce que…?

À l'autre bout du terrain, les pierres se sont mises à rouler. Les broussailles se couchent au passage des pierres qui roulent vers la petite fenêtre à barreaux.

Tout à coup, Izzy comprend ce qui va se passer. Elle fait un bond en arrière à l'instant même où le tas de pierres s'engouffre dans la fenêtre avant d'aller rouler par terre.

— Fletch! crie Izzy d'une voix tremblante. Il est arrivé quelque chose de *très* bizarre au Rogoule! Il s'est transformé… en tas de pierres!

Mais Fletch n'entend pas son amie. Tandis qu'il se bat, il ne perçoit que les battements de son cœur qui résonnent jusque dans ses tympans. Il a démoli sept chevaliers.

Il est à bout de souffle.

Il brandit la flèche et tente d'attaquer encore et encore, mais il n'a plus d'énergie. Ses bras sont comme des spaghettis.

Les chevaliers qui restent ricanent. Leurs armes sont dirigées vers Fletch. Ce dernier a la gorge serrée alors que son regard va d'un mort-vivant à un autre.

C'est à ce moment qu'il entend un bruit de pierres qui déboulent. Quand il baisse les yeux, il voit des pierres et des cailloux qui entrent par la fenêtre. Troublé, il recule de deux pas à l'instant même où les pierres se réunissent pour former l'imposante statue qu'est le Rogoule. Puis en quelques secondes seulement…

CRAC!

VLAN!

BOUM!

PAF!

Le Rogoule réduit en poussière les chevaliers-squelettes qui restaient. Ils s'effritent, se plient et se tordent. Des pièces d'armure sont dispersées sur le sol.

— *GREU.*

Fletch affiche un grand sourire.

— Ça, tu peux le dire!

Quelques secondes plus tard, Fletch a déverrouillé la cellule.

— Maintenant, Izzy, il est temps de récupérer le pouvoir interdit!

CHAPITRE ONZE

Fletch et Izzy remontent furtivement l'escalier en spirale. Le Rogoule plane derrière eux. Fletch jette un coup d'œil dans la salle du trône. Le trône d'os est vide, et la pièce semble déserte.

À leur grande déception, ils constatent que le pouvoir interdit n'est plus là. Soudain, ils perçoivent un mouvement rapide, au même moment où la flamme d'une bougie vacille. Fletch et Izzy lèvent les yeux juste à temps pour voir un chevalier-squelette sauter du lustre. Le chevalier atterrit sur Izzy.

— Ne me touche pas, espèce de paquet d'os! crie Izzy alors que le squelette enfonce sa main dans son épaule.

L'étrange couple titube dans la salle, un peu comme s'il dansait.

— Izzy! hurle Fletch en s'élançant derrière eux.

Mais il est trop tard. Il assiste à la scène, impuissant. Leur lutte les a entraînés vers le mur pourri et...

CRAC!

Les planches volent en éclats lorsqu'Izzy et le chevalier heurtent violemment le mur, passant carrément *au travers*.

Le cœur battant, Fletch se précipite vers l'ouverture béante et regarde en bas. Il aperçoit son amie qui lui sourit. Izzy et le chevalier sont tombés dans la cour, et le chevalier est démoli.

— Ce paquet d'os a amorti ma chute! lance Izzy.

— Remonte! crie Fletch.

Une fois debout, Izzy enlève d'une chiquenaude un os du chevalier resté sur son épaule.

— Continue, toi! dit Izzy. J'ai quelque chose à faire.

Avant que Fletch ait pu protester, Izzy traverse la cour au pas de course. Il la regarde s'éloigner, puis jette un coup d'œil autour de lui dans la salle du trône.

Ses yeux tombent sur un couloir qui semble mener à la deuxième aile de l'étrange manoir.

C'est alors qu'il le sent. Fletch sait que le pouvoir est quelque part là-bas et l'appelle.

Fletch et le Rogoule s'engagent dans un long couloir, puis montent une série d'escaliers apparemment sans fin, pour aboutir dans la deuxième aile du manoir. C'est un véritable labyrinthe de couloirs et de pièces. Des tapisseries ornent les murs. Les planchers craquent au moindre pas. Les chandeliers aux murs diffusent une lumière d'un rouge orangé. Celle-ci se mêle à la lueur bleue émanant du Rogoule pour donner au labyrinthe une ambiance surnaturelle.

Fletch lance un regard derrière lui, espérant voir Izzy monter l'escalier à toute vitesse. *Elle ferait une blague et détendrait l'atmosphère*, se dit Fletch. Cela ralentirait peut-être les battements affolés de son cœur. Mais Izzy n'est pas là. Il n'y a que Fletch, le Rogoule et, *quelque part dans ce dédale de couloirs*, le baron von Bludgeonous. Fletch serre la flèche encore plus fort.

Il sent le pouvoir interdit irradier non loin de lui. Il continue de progresser dans le labyrinthe où se succèdent de vieilles toiles sinistres et des objets bizarres. *La sensation* devient plus forte et, lorsque Fletch tourne au coin suivant, il s'attend à tomber nez à nez avec le baron von Bludgeonous et le pouvoir interdit.

Mais c'est un cul-de-sac.

Fletch n'y comprend rien.

La sensation ne l'a jamais induit en erreur. Du moins, jusqu'à maintenant.

Fletch s'approche du mur qui marque la fin du couloir. Il note qu'il est légèrement courbé, ce qui l'amène à penser à la grande flèche architecturale qu'ils ont vue à l'extérieur. Fletch ne sait plus trop où il se trouve à force de parcourir les couloirs. Ce mur courbé pourrait-il être celui de la flèche?

— Et toi, qu'en penses-tu? demande-t-il au Rogoule.

— *GREU.*

En y regardant de plus près, Fletch remarque qu'une faible lumière s'infiltre par les fissures dans le mur ainsi qu'à sa base, le long du plancher.

Le pouvoir interdit!

Fletch prend une grande respiration, et appuie doucement sa main contre le mur. À l'instant où le contact se fait…

BOUM!

Comme habité d'une force invisible, le mur s'effondre. Le baron von Bludgeonous se dresse de manière imposante au milieu de la pièce ronde. Une main sur le pouvoir interdit, il semble aspirer l'énergie. Son corps s'illumine. Le baron est encore plus énorme et plus terrifiant qu'avant. Le pouvoir afflue dans ses os. Fletch constate qu'il semble aussi le rendre plus fort…

Les yeux du baron von Bludgeonous brillent d'une lumière électrique violette, la couleur du pouvoir interdit. Fletch sent le regard perçant et glacial du baron fixé sur lui. Le chevalier mort-vivant est l'incarnation de la peur. À cet instant précis, Fletch a le sentiment que le baron représente *toutes ses peurs*, tous les moments de sa vie où il s'est senti anxieux, agité, inquiet et carrément *terrifié*.

— Tu m'as interrompu, gronde le baron von Bludgeonous.

Fletch serre les dents, refoule sa peur et décide qu'il en a assez d'être terrifié. Il avance lentement d'un pas assuré, et pointe la flèche vers l'ignoble chevalier.

— Je vais rapporter ce pouvoir à l'Académie, dit Fletch d'un ton ferme.

— Pas question.

— Sa place est dans un musée! affirme Fletch. Ou, enfin… avec Merlok ou je ne sais trop.

L'énergie danse dans les yeux du baron qui le regarde d'un air interrogateur. Il resserre son étreinte sur le pouvoir.

— Une armée de chevaliers en chair et en os ne parviendrait pas à retirer ceci de mes mains froides de mort-vivant, dit le baron d'une voix rauque.

— Je n'ai pas d'armée qui m'accompagne, mais j'ai une gentille statue de pierre géante, dit Fletch.

Il s'écarte vivement pour laisser la place au Rogoule.

Celui-ci continue de planer pendant un instant. Puis dans un grand vrombissement, il fonce sur le baron von Bludgeonous. Le baron laisse tomber le pouvoir, et le bouclier atterrit sur le sol.

— Vous êtes un monstre, dit Fletch.

— Non, riposte le baron. Je suis un chevalier. Un chevalier qui devrait être *roi*. Et je vais l'obtenir, ce trône.

Le baron von Bludgeonous s'avance brusquement vers lui en élevant sa main puissante. Le Rogoule se penche d'un côté pour protéger Fletch, mais le coup du chevalier mort-vivant est chargé d'énergie. Le choc propulse le Rogoule en arrière et l'envoie tournoyer jusque dans le trou béant par où ils sont entrés. Un crépitement d'électricité se fait entendre.

— On dirait bien que ton gardien de pierre nous a quittés, dit le baron von Bludgeonous. Tout ce qu'il te reste, c'est une simple flèche.

Les yeux du baron lancent des éclairs rouges, et Fletch est subitement soufflé à l'autre bout de la pièce. Il heurte violemment le mur. La flèche, sa seule arme, tombe par terre avec fracas. Le baron von Bludgeonous brandit sa terrible lance d'une main et ramasse le pouvoir interdit de l'autre.

— Hé, espèce de vieux chevalier minable!

Fletch se retourne et voit Izzy avancer dans le couloir, armée de la précieuse épée d'argent de Ned Knightley.

— Vous reconnaissez ça?

Le baron von Bludgeonous est visiblement ébranlé en apercevant la légendaire épée. Ses os et son armure s'entrechoquent alors qu'il tremble de tout son corps. Il recule en titubant.

— N-N-Non. C'est impossible. La précieuse épée d'argent de Ned Knightley...

— Exactement, dit Izzy. La précieuse épée d'argent de Ned Knightley! L'épée du plus noble chevalier de tous les temps! C'était un bon chevalier. Tout le contraire de vous.

L'épée luit d'un éclat argenté. Le baron von Bludgeonous se courbe et recule petit à petit. Il laisse tomber sa lance et lève une main pour se protéger de la lumière.

— Fletch, attrape le pouvoir! crie Izzy.

Fletch n'hésite pas. Il se précipite vers le baron et saisit le pouvoir interdit, tirant de toutes ses forces pour le libérer de la main du chevalier. Mais ce dernier ne lâche pas prise. Sa main osseuse tient fermement le pouvoir.

La tablette tremble et le Voltage dévastateur palpite.

— J'ai travaillé bien trop longtemps pour mettre la main dessus. Pas question de laisser un garçon me l'enlever! rugit le baron von Bludgeonous.

Fletch regarde sa flèche par terre.

— Je ne suis pas un simple garçon, dit-il en s'emparant de la flèche. Je suis un chevalier en formation!

Au moment où Fletch soulève la flèche, un rayon de Voltage dévastateur s'échappe du bouclier et va se loger dans l'extrémité de la flèche. Celle-ci jette des étincelles et s'illumine tandis que l'énergie électrique se propage d'un objet à l'autre, passant de la flèche au bouclier, et du bouclier à la flèche.

Le baron von Bludgeonous s'agrippe au bouclier, le tenant bien serré.

— Tu ne peux pas l'avoir! hurle-t-il.

Fletch sent la flèche vibrer de plus en plus fort. Il la tient maintenant à deux mains pour tenter de la maîtriser, mais il n'y arrive pas…

Malgré le bruit éclatant et assourdissant de la foudre, Fletch réussit à crier :

— À terre, Izzy!

Il lance un regard derrière lui et voit Izzy se précipiter pour se mettre à l'abri. Juste à temps…

Serrant bien fort la flèche qui palpite et s'agite, Fletch s'approche de la tablette.

Les murs se lézardent et le plancher craque. Pourtant, Fletch continue d'avancer.

C'est comme si le monde entier tremblait.

Le baron von Bludgeonous regarde Fletch d'un œil mauvais.

— On se reverra, mon garçon, gronde-t-il. Je te le promets.

Fletch avance encore d'un pas et appuie enfin la flèche contre le bouclier. Une lumière aveuglante illumine la pièce. Les murs volent en éclats, et le plafond se fissure et s'écroule.

CRAC-BOUM!

CHAPITRE DOUZE

Une fois la fumée dissipée, Fletch constate que les murs ont été détruits, et que le toit de la flèche a disparu. Le baron von Bludgeonous aussi.

Izzy court vers les ruines fumantes et regarde dans la cour en bas. L'écurie du Pégase est vide.

— Ils ont disparu, dit Izzy. Tous les deux.

— Et ce n'est pas tout, dit Fletch en jetant un coup d'œil autour de lui. Le pouvoir interdit a disparu aussi. *Envolé!*

Un grondement soudain et assourdissant fait sursauter Fletch.

— C'est juste le Fortrex, dit Izzy d'un ton enjoué.

— Le quoi? demande Fletch.

Le Fortrex (la forteresse roulante, très bien armée et très bien protégée, de l'équipe des chevaliers NEXO) s'arrête bruyamment dans la rue, secoué de soubresauts. Un pont-levis se déploie, et Clay Moorington s'avance sur la rampe. Un instant plus tard, il est rejoint par Lance Richmond, Aaron Fox, Macy Halbert et Axl.

Axl hume l'air.

— Mmm… il y a une odeur de brûlé. Ça sent le barbecue!

— Qu'est-ce qui s'est passé ci? demande Macy en examinant le sombre manoir.

Tout en haut dans la flèche, Fletch adresse à Izzy un sourire rayonnant.

— Vas-y… dit-il.

Souriant à son tour, Izzy se penche, met ses mains en porte-voix et s'écrie :

— Surprise!

Les chevaliers lèvent tous les yeux vers la flèche fumante et décimée. Lance plisse les yeux.

— Hum… est-ce bien ma *sœur*?

— Salut, mon frère! lance Izzy. C'est bien moi. Et voici Fletch. Il vient de sauver le royaume.

— Elle m'a donné un coup de main! crie Fletch.

— À peine! C'est lui qui a tout fait!

Fletch sourit et secoue la tête, mais il ne se donne pas la peine de discuter.

* * *

Le Fortrex roule en grondant dans les rues. Il ramène Fletch et Izzy à l'Académie.

Fletch, Izzy et les autres chevaliers NEXO sont assis dans le poste de commande du Fortrex. Tous sont muets d'étonnement, sauf Izzy. Elle termine le récit de ce qui s'est passé : le pouvoir interdit, les catacombes, la Combatition, l'attaque de l'Académie, la course jusqu'au manoir, la bataille dans le donjon et le baron von Bludgeonous.

C'est à peine si Fletch a prononcé un mot pendant qu'Izzy parlait. Il dévore plutôt la moindre bouchée de nourriture que le robot Chef Éclair lui apporte. Il a l'impression de ne pas avoir mangé depuis des jours. Le Rogoule se tient derrière lui, planant tranquillement.

Izzy, toutefois, a omis quelques détails très importants dans le récit de leur aventure. Elle n'a pas mentionné *la sensation* de Fletch, ni les circonstances qui ont permis au Rogoule de prendre vie. Et quand elle raconte l'affrontement entre le baron von Bludgeonous et Fletch, elle lève les sourcils et lance des regards encourageants à son ami dans l'espoir qu'il se confie.

Mais Fletch se contente de sourire, de hausser les épaules et de mordre dans son pilon de dinde.

— Eh bien, dit Izzy, je crois que c'est tout, dans ce cas. Des questions?

Les chevaliers la dévisagent pendant un moment, puis se tournent lentement vers Fletch. Ils ne semblent pas savoir quoi penser exactement de cet élève de première année. Fletch voudrait bien que quelqu'un rompe le silence.

Et quelqu'un le fait.

Merlok 2.0.

À cet instant précis, il apparaît, son image holographique se matérialisant sur le piédestal au milieu de la pièce.

— J'espère que je ne suis pas en retard! s'exclame-t-il. J'ai raté quelque chose?

— Seulement toute l'histoire, répond Macy.

— Eh bien, pourriez-vous recommencer à partir de...

Merlok s'interrompt avant de s'écrier :

— Ça alors! Un *Rogoule!* Dans le *Fortrex!* Il y a un Rogoule dans le Fortrex!

Mais avant que Fletch puisse lui expliquer, Merlok poursuit de plus belle :

— Oh, mais *bien sûr* qu'il y a un Rogoule ici! Un pouvoir interdit a été découvert, et il était sûrement gardé par un Rogoule... Je vous ai expliqué tout ça déjà, n'est-ce pas?

— Oui, répond Fletch en réprimant un sourire.

— Et le Rogoule devient le protecteur loyal de celui qui *libère* le pouvoir, continue Merlok.

— Attendez, dit Fletch. Est-ce que ce type va me suivre partout durant toute ma vie? Comprenez-moi bien, il est sympa. C'est juste que... euh, ça pourrait devenir embarrassant parfois. Vous comprenez?

Aaron rigole.

— Oui, oui, dit Merlok. Fletch, il faudrait que nous discutions toi et moi. Du Rogoule, bien sûr, mais de plein d'autres choses aussi.

Izzy regarde Fletch d'un air excité.

— Ça me va, répond Fletch en souriant.

— Merlok, j'ai une question, dit Clay en se levant.

Fletch note que le chevalier serre très fort le dossier de sa chaise.

— Le pouvoir interdit a-t-il été détruit?

Merlok reporte son regard sur Fletch.

— Que s'est-il passé, à la fin? demande-t-il.

Fletch lève les épaules.

— Je… j'aimerais bien le savoir. C'était juste une explosion d'énergie…

— Et laissez-moi vous dire que, de loin, ça semblait absolument *génial!* dit Izzy.

Au bout d'un moment, Merlok déclare :

— Dans ce cas, je crois que oui, il a été détruit. Mais je n'ai pas étudié les pouvoirs interdits depuis de très nombreuses années. Je dois réfléchir à la question, et fouiller dans mes souvenirs. Fletch, tu viendras me voir, n'est-ce pas?

— Bien sûr, répond Fletch.

— Bien. Très bien! s'exclame Merlok. Et maintenant, je crois que je vais faire une sieste.

Sur ce, l'image de Merlok s'éteint.

Le cœur de Fletch bat vite. Fletch sait que Merlok est peut-être la seule personne qui peut lui expliquer ce que c'est que cette histoire de *sensation*. Et peut-être que, *avec un peu de chance*, Merlok pourra l'aider à faire ce qu'il faut pour ne pas devenir malfaisant.

Et ça, ce serait vraiment bien, se dit Fletch.

C'est presque l'aube lorsque le Fortrex s'immobilise dans un grondement devant les portes de l'Académie. Fletch laisse échapper un profond soupir de soulagement en voyant que l'Académie est tout illuminée. De toute évidence, Ava a réussi à réparer les dégâts.

La rampe du pont-levis du Fortrex touche le sol avec un bruit sourd, et Lance s'empresse de faire sortir ses compagnons.

— Allez, petite sœur. Retourne à l'école, dit-il. Et ne va pas prendre la grosse tête. Il n'y a de place que pour une vedette dans la famille.

— Oui, oui, dit Izzy en décochant à son frère un petit sourire narquois.

Fletch a une boule dans la gorge. Il voit Brickland debout devant l'entrée de l'Académie, et le directeur n'a pas l'air content.

Fletch sent une main se poser sur son épaule. C'est celle de Clay. Le seul fait de le regarder, de sentir sa présence permet à Fletch de comprendre pourquoi il est le chef d'équipe des chevaliers NEXO. Le visage de Clay respire la force, mais aussi la bonté, et Fletch est fier de savoir qu'il marche sur ses traces, en tant que chevalier.

— Izzy n'a pas mentionné ton nom de famille, dit Clay.

— C'est Bowman, déclare Fletch, soudain très intimidé. Fletcher. Fletcher Bowman.

Clay porte une main à sa mâchoire large et carrée.

— Bowman, tu dis? répète-t-il, curieux. Je ne pense pas connaître ce nom. D'où vient ta famille?

Fletch avale sa salive avec difficulté.

— Bien, en fait, euh… je n'en sais rien. Je suis orphelin, dit-il en baissant les yeux.

— Orphelin? dit Clay.

Fletch rougit.

— Oui.

Clay lui donne une petite tape dans le dos. Pas si petite, à vrai dire, car Fletch s'étouffe presque.

— Je suis orphelin, moi aussi, dit Clay.

Fletch ne peut s'empêcher de sourire. Clay ne vient pas d'une famille célèbre? Le plus grand, le plus grave, le plus chevaleresque des chevaliers au pays est *également* orphelin?

— Vous vous en êtes bien tirés tous les deux. Nous sommes tous impressionnés. Quant au directeur Brickland, il fera de son mieux pour ne pas le montrer, mais il sera impressionné aussi. Fais-moi confiance, je le sais, dit Clay avec un sourire entendu.

Là-dessus, Fletch, Izzy et le Rogoule, bien sûr, rentrent à l'Académie. Ils ont à peine franchi le portail que le directeur Brickland aboie :

— Dans mon bureau! Tout de suite!

Ils passent près d'une heure dans le bureau du directeur, à l'écouter tempêter et à le regarder marcher de long en large. Il donne tant de coups de poing sur son bureau que Fletch est étonné qu'il ne se casse pas en deux.

Il leur sert une rafale de mots : « Terrible danger! »,
« Incroyable! », « Scandaleux! ».

Finalement, lorsque son visage devient si rouge qu'il en est
presque violet, le directeur Brickland s'affaisse sur sa chaise.

— J'ignore comment vous avez fait ça…

Brickland secoue la tête et les dévisage. Et malgré toute la
frustration et les cris, Fletch croit déceler l'esquisse d'un
sourire sur les lèvres du directeur. Mais Brickland se ressaisit
vite et retrouve sa mine renfrognée habituelle.

— Ne prenez pas l'habitude de ces petites aventures! beugle-
t-il. Compris?

— Oui, monsieur, répond Fletch.

— Quant à ce *machin…* dit-il en désignant le Rogoule. Je ne
veux pas le voir dans les classes, je ne veux pas le voir dans la
cafétéria, et je ne veux *surtout* pas le voir sur le terrain
d'entraînement. Il dégage une odeur de magie. C'est infect. Et
malfaisant, si vous voulez mon avis.

* * *

Après le tourbillon de ses premières journées à l'Académie
des chevaliers, Fletch ne demande qu'à devenir un élève
normal, ordinaire. Mais cela s'avère difficile. La nouvelle court
dans toute l'Académie, et les élèves parlent encore de ce que
Fletch a fait à la Combatition, et de la panne de courant
générale à l'Académie (panne que tous ont trouvée très
divertissante).

Le directeur Brickland réussit à garder secrète la *majeure
partie* de l'aventure : aucun n'élève n'entend parler du baron

von Bludgeonous ni de la bataille au manoir, et on attribue l'éruption surprise du pouvoir interdit dans l'arme de Fletch lors de la Combatition à un mauvais fonctionnement du Novix.

Cependant, une chose ne peut pas être gardée secrète : le Rogoule.

Les autres élèves semblent tous le trouver bizarre, mais dans un sens *favorable*. Durant toute une semaine, Fletch reçoit à sa chambre un flux régulier de visiteurs curieux de voir l'étrange créature. Et même s'il est encore très timide, Fletch découvre que le Rogoule est un excellent sujet de conversation.

Le seul élève qui ne trouve pas le Rogoule vraiment super est Ethan Zilgo. Depuis leur affrontement dans la salle des chevaliers, Zilgo semble encore plus déterminé à prouver qu'il y a quelque chose qui cloche chez Fletch.

— Attends, il a dit quoi? s'exclame Izzy.

C'est la troisième période, et Fletch et Izzy déambulent dans la salle des chevaliers. Durant le cours de *Combos de pouvoirs*, le professeur Ottolae a téléporté accidentellement trois douzaines de dindons sauvages. On a donc laissé les élèves partir plus tôt. Fletch et Izzy ont décidé de se rendre à la salle des chevaliers. C'est leur première visite depuis qu'ils ont enlevé de son piédestal la précieuse épée d'argent de Ned Knightley, et qu'ils sont retournés dans les catacombes.

Fletch pousse un long soupir.

— Zilgo a dit qu'il prouverait que je suis un imposteur. C'est n'importe quoi…

— C'est un minable, dit Izzy. Beak aussi.

Fletch se contente de hausser les épaules. Tout en marchant, il laisse traîner une main sur les sculptures. Il est plus silencieux que d'habitude, et Izzy le remarque.

— Qu'est-ce qui te tracasse? finit-elle par demander.

— La magie, répond Fletch doucement. On me l'a dit deux fois jusqu'à maintenant : quiconque a des aptitudes pour la magie devient malfaisant. J'ai peur que… enfin, tu comprends. *C'est évident.*

Izzy secoue la tête.

— Tu as bon cœur, mon vieux. Trop bon cœur pour devenir malfaisant.

Fletch lève les épaules de nouveau.

— Peut-être. J'espère qu'après en avoir discuté avec…

— Le baron von Bludgeonous! dit Izzy.

— Quoi? Qu'est-ce que tu racontes? Pourquoi je discuterais avec *lui?* demande Fletch.

Izzy fait non de la tête.

— Non, ce n'est pas ce que j'ai voulu dire. Regarde, le baron von Bludgeonous est juste là!

— Hein? fait Fletch en lançant des regards nerveux autour de lui.

Et bientôt il comprend qu'elle a raison.

Le baron von Bludgeonous est *bel et bien* là. Du moins, une sculpture de lui. Elle compte parmi les nombreuses sculptures exposées dans la salle. Elle représente le chevalier quand il

était jeune, séduisant et *vivant*, et non un squelette. Il est à dos de cheval et tient une lance.

Sur la sculpture, en lettres de bronze, on peut lire : *Baron von Bludgeonous, un chevalier digne d'admiration, un élève dont on se souviendra.*

— Non seulement le baron von Bludgeonous était chevalier, mais il a étudié ici! s'étonne Izzy. À l'Académie!

— Aucune mention de son prétendu titre d'héritier du trône, par contre, dit Fletch.

Izzy hoche la tête.

— Un titre pourtant digne de mention.

— Le plus important, conclut Fletch, maintenant qu'on sait que c'est un ancien élève, c'est de trouver un moyen de le vaincre une fois pour toutes…

MAX BRALLIER est l'auteur d'une trentaine de livres et de jeux, dont la série *The Last Kids on Earth*.

Il écrit des livres pour enfants et adultes et a créé *Galactic Hot Dogs*, une série de science-fiction pour les préadolescents. Il contribue aussi à des produits sous licence comme *Adventure Time, Regular Show, Steven Universe* et *Uncle Grandpa*.

Sous le nom de plume Jack Chabert, il est l'auteur et le créateur du volume 1 de la bande dessinée *Poptropica : Le Mystère de la carte magique*.

Dans l'ancien temps, il était concepteur de jeux vidéo pour le monde virtuel *Poptropica*. Il a aussi travaillé dans le service de marketing de St. Martin's Press. Max habite à New York avec sa femme, Alyse qui, selon lui, est trop bien pour lui.